丹後に生きる

命、くらし、平和を守る
人々の記録

「丹後の新しい未来を求めて」
編集委員会

かもがわ出版

はじめに

私は昭和11年4月に小学校へ入学しました。初めての教科書で「ススメ　ススメ　ヘイタイ　ススメ」とカタカナで教えてもらいました。学校では「欲しがりません。勝つまでは」「忠君愛国」などのスローガンに囲まれ、日本が日中戦争・太平洋戦争と侵略戦争へ突き進むなか、軍国少女として育てられました。どの教科もほとんど授業が受けられず、特に英語科は敵性語として禁止されていました。人生で一番勉強しなければならない大切なときに、ペンを持つことが許されず、空襲に怯えながら空腹に耐え、学徒動員生として軍需工場で作業を続ける毎日でした。

昭和20年8月15日の敗戦で、日本は大きく変わりました。アメリカの占領下に置かれ、主権在民の日本国憲法が制定され、民主国家・日本が誕生しました。しかし、朝鮮戦争勃発のころから反動化し、国内では安保闘争を始め松川事件など、大きな事件が起こり、レッドパージの大旋風が吹き荒れていきました。

丹後でも勤務評定反対運動・学力テスト闘争・久美浜原発設置反対運動・丹後織物闘争・母親運動・うたごえ運動など、さまざまな分野で多くの方々が取り組み、闘ってこられました。この激動の時代を「命・くらし・平和」を旗印として地域や職場で話し合いを重ねながら、一緒になって活動してこられた体験や生の声は、大切な宝物だと思います。この宝物をいま、書き留めておかなければ……。その思いを私はずっと長い間、温め続けてきました。

作家の半藤一利さんは「人間の眼は歴史を学ぶことで、はじめて開くものである。戦争は国家を豹変させる。歴史を学ぶ意味はそこにある。戦争は絶対にしてはいけない」と書き残しておられます。

「戦争」という時代に翻弄されて生きてきた私は、戦争は絶対にしてはいけないと強く願っています。そして、どうか世界中に戦争のない平和が訪れますように……と祈っています。

そうした私の思いに多くの方々がご賛同くださり、昭和から現在まで幅広く貴重な体験をご寄稿いただきました。心より御礼申し上げます。

「丹後の新しい未来を求めて」編集委員会

東　世津子

丹後に生きる

命、くらし、平和を守る人々の記録

もくじ

第三章　丹後の女性たちの願い

第四章　平和への願い、基地反対の運動

第五章　反原発と大型開発阻止の運動

第六章　文化と教育を守る活動

第七章　地域の願いと人々の営み

第一章
働く人々の組合活動

久美浜湾

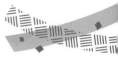

日本人の食料は日本の大地から
――農民連の取り組み

峰山町　昭和30（1955）年生
安田　政教

京都農民連丹後地域センターは、丹後・与謝地方の単組の連絡調整、協議機関として、また、産直事業の北部拠点として1996年2月29日に開設され、北部の農民組合運動と産直事業の前進に大きな役割を果たしてきました。

この間、米と農業をめぐる環境は大きく様変わりしました。地域センター開設当時2万3000円だったコシヒカリ（1等60kg）が、2021年は農協価格で1万円まで値下がりし、生産費にも満たない米価が農家経営を圧迫、離農と農地の荒廃に拍車をかけています。国が国民の主食である米に対する責任を放棄し、市場にゆだねた結果です。

加えてウクライナへのロシアの侵攻が世界の食料需給にも大きな影響を与え、食料、飼料、肥料、燃料の高騰が飢餓人口の再拡大をもたらしています。

食料自給率38パーセント（カロリーベース）の日本の農業は、肥料原料や飼料、燃料のほとんどを輸入に頼っており、実質的な自給率は10パーセント台とも言われています。食料は外国から輸入すればよいという考えが成り立たなくなっている今、農民組合が掲げてきた「日本人の食料は日本の大地から」というスローガンが光を放ってきています。

世界的に広がった新型コロナウイルスが農業分野にも大きな影を落としています。農民連はコロナの下でも営農を続けようと、「持続化給付金」をはじめとする支援制度も活用し、取り組みを強めてきました。持続化給付金は丹後でも30名をこえる組合員さんが申請を行い、「これでコンバインの返済ができる」「来年も米づくりが続けられる」と喜ばれました。

国内で米の自給ができるにも関わらず、毎年77万トンの米が輸入され、米価下落の大きな要因になっています。食料自給率もカロリーベースで38パーセントと先進国首脳会議に参加する国の中でも異常な低さです。

国連は格差と貧困の克服と持続可能な農業のために、２０１９年から10年間を「家族農業の10年」として決議し、小規模・家族農業が格差と貧困を解決する柱になるとして、各国に農政の転換を求めています。この方向は、私たち農民連がめざしてきた道と合致するものです。

厳しい中でも農業を生業としてがんばろうとする若者も増えてきています。第一次産業を丹後の基幹産業としてしっかり位置づけ、食料を生産する者が誇りをもってものづくりに取り組めるような農政への転換をめざし、がんばりたいと思います。

丹後の農民運動のもう一つの柱が、関西電力高圧線下補償を求める闘いです。それまで無料で使用してきた高圧線下の補償を関西電力に認めさせ、以来40年にわたって毎年の補償料を支払わせてきました。

この間、弥栄・丹後町の高圧線の撤去があり、また5年ごとの補償単価更改交渉が関西電力の引き下げ要請の中で厳しさを増しています。地権者のみなさんの団結を力に対応していきます。

33年の歩みに学び さらに素晴しい年金者組合に！

丹後町　昭和17（1942）年生
阪田　剛

全日本年金者組合丹後支部は1989年9月に80人を結集して結成され、2022年度33年目を迎え、組合員数は350人と大きく成長しました。丹後では誇れる組合となりました。

組合への加入率は京丹後市の65才以上の1・7パーセント（2022年現在）を越え、京都府で北桑田支部に続いて2番目の高い率となりました。

このように、丹後支部の組合員を年と共に増やすことができたのは、まず第一に、高齢者のだれもが「健やかに、豊かに高齢期を過ごしたい」「仲間と一緒に楽しみ、学び、生きがいある人生が送れたらいいいな」と思っておられ、その本来の要求に根ざした活動を創り続けてきたからです。

「楽しくなくちゃ、年金者組合じゃない」とレクリエーション、サークル活動、文化活動など生き生きと活動してきました。また、仲間とともに学び趣味を広げる「年金者講座」で学ぶ機会を広げてきました。

「ひとりぼっちじゃないよ」と仲間と楽しく、気楽に談笑できる「分会の集い」を各町ごとに計画し、成功させてきました。

さらに、「ひとりぼっちを作らない」を合い言葉に、『チョイボラ』を立ち上げ、困っている人との助け合いをめざしてきました。

これらの幅広い活動は、月々の『新聞たんご』で紹介し、多くの人に楽しさ、生きがいなどを知ってもらい、さらに活動の幅を広げてきました。

一方、年金者組合は労働組合として、「全労連」運動の一翼を担っています。加盟しているナショナルセンター・全労働運動に積極的に参加し、活動してきました。丹後では「丹後労働組合総連合」（丹労連）に加盟し、運動を支えてきました。現役時代の豊富な経験が生かされ、その活躍は住みよいまちづくりに貢献してきました。京丹後市市長選にも「ともに京丹後」の会で奮闘しました。

住みよいまちづくりをめざして、要求をまとめて京丹後市に要望書を出し、市長と交渉・懇談を行ってきました。さらに、とりわけ高齢者に欠かせない年金・医療・介護などの社会保障改悪に反対し、制度の改善実現のため、中央社保協、全労連などの団体と協力して運動を進めています。

縷々述べてきたごとく、「仲間と一緒に、楽しみ、学び、生きがいある人生をめざそう」とみんなで力をあわせがんばってきた、この33年ではなかったでしょうか。

年金者組合丹後支部総会

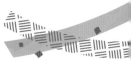

組合員とつながりあって組織づくり
——京建労のあゆみ

峰山町　昭和25（1950）年生
吉田　兼三

全京都建築労働組合、奥丹後支部は1969年8月、それまであった各町ごとの支部が統合され「奥丹後支部」として結成され、網野町水の江に事務所をかまえた。略称「京建労」は1950年18名で「京都自由労働組合大工支部」として結成し1957年「全京都建築労働組合」として発足した。建設職人の社会的地位の向上、社会保障の確立をめざし、建築国保の運営、賃金の引上げ、建設アスベスト被害の保障、そして、全国の被災地の救援活動など行っている。

当時、水の江区の事務所は会議もできない手狭な事務所でもあり、組織活動はお粗末なものだった。毎月の組合費は書記が一軒一軒まわり集金をしていた。納入率は70パーセント台という月はザラだった。反面、組織拡大は京建労の真骨頂で、組合員は最高時295名までに達した。執行委員会ができるもっと広い場所を探した結果、1999年5月峰山町荒山に引っ越した。定期的な会議をしっかり持つこと、組織的な集金体制を確立すること、念願の自前の事務所を持つことが課題となった。2006年5月、親の世代からの積み立てもあり、事務所（現事務所）を建設し、組合費も当月100パーセント納入を成し遂げた。そして今日までそれを維持している。

これだけ見るとトントン拍子に見えるが、その裏にはさまざまな苦労がある。ある時、不明朗な会計の問題が発覚。役員も関わり

1カ月整理をし、改めて組織財政の大切さがわかった。

「やっぱり自分たちで集金する体制を作らなくてはダメだ」。役員のなかで改めて組織体制の確立の重要性を認識した。理想は組合員が役員をしてくれることだが、「班長になれば金をあずかったり会議にでなければならない。組合に入る時『何もしなくていい』と言われたのに」など、いろいろ反発が出る。「役はあいつにさせておけばいい」と、役員はずっと同じメンバーだった。それが結果として弱い組合を作ってしまった。一部の人間だけでなく、誰でもできる組合運営にしよう。決める時はみんなで決め、班長は隣組の組長とおなじでみんなでし、役員に負担をかけないようにしよう。そう改善していった。

できてもできなくても文句は言わない。できないところはまわりがカバーしよう。だが、「やらない」は認めない。仕事の関係で丹後にいない人、病弱な人、老齢で出歩けない人などは執行委員会で免除を確認し、それ以外の組合員は班に所属し、班長に組合費をとどける。それでも「俺は絶対やらない」という組合員に対しては、「組合はお互い助け合うことを本来目的とする。良いことは享受するが嫌なことはやらない、は組合の主旨に合わない」とお引き取りを願った。いろいろあって295人から一時、200人以下にまで減ったが、新年会や集会、会議などで組合員同士がつながりながら、できる人から役をまわし、「みんながやっているなら、仕方ない」という状況を作るまで5、6年かかった。

今は組合員も徐々に増え220人台にまで回復している。組合員同士のつながりを作っていくことが、元気な組織づくりに不可欠である。

税務署の攻撃を跳ね返しながら！
――丹後民主商工会のあゆみ

網野町　昭和17（1942）年生
森　勝

丹後民主商工会の第1回総会は、1963年（昭和38年）3月、「38豪雪」の厳しい年に、旧奥丹教組事務所をお借りして数十名の参加で開催されました。今年（2023年）はそれ以来60年となります。丹後民商第60回定期総会方針には、「民商、全商連運動の3つの理念」が掲げられています。この中で民商創立の目的と理念や運動のすすめ方、「共同闘争の重要性」と「政治革新」の必要性が語られています。

丹後民商の結成は、のちの初代会長の故・西村四郎氏を中心に広がり、伊根町を除く1市9町で結成されました。なお、初代事務局長は故吉田好春氏が選出されました。

1964年、2回めの確定申告が行われたその年、税務署は抜き打ちの事後調査を強行し、会員の半数の70名に「更正決定」を乱発してきました。この「事件」の背景には政府自民党の大きな2つのねらいがあったことは明らかでした。

この前年、当時の木村国税庁長官は重税に反対して躍進する民商を恐れて「民商を3年以内につぶす」と公言しており、事後調査はその一貫した計画的攻撃であり、同時に蜷川民主府政打倒への布石という政治目的とも重なっていました。

結果、生まれたての民商は壊滅的な打撃を受けることとなりました。当時の役員のみなさんは頭を抱え、悩みながらも徹底した議論の中で団結を固め、「負けるものか」と、不屈の精神を発揮して再建をめざし、常駐の事務局体制と借家の事務所での活動を始めたのでした。そして１９６６年、第４回再建総会では役員体制を確立し、事務局員を採用をすることができました。方針では会員の倍加が目標とされ１９６８年の第６回総会では５００名の会員を突破し、峰山町杉谷に待望の２階建ての民商会館を建設しました。その年、ふたたび国税局職員５名が事後調査に入りましたが、これも跳ね返し、１９７０年の第８回総会では会員１４００名と、税務署にとっては驚くばかりの反撃となったのでした。

そして１９７４年、第12回総会では２０００名の会員数を突破し、与謝野地域の会員の強い要望であった与謝民商の分離独立を果たすことができました。この時の事務員は丹後民商が14名、与謝民商が６名でした。

民商・全商連運動の３つの理念

第1は、民商・全商連運動は、会員の利益・幸せだけでなく、中小企業者全体、大きくは国民全体の幸せとつながっている。要求と方法が道理に合ったものであったからこそ、様々な権力的攻撃の中で一貫して前進しています。

第2は、団結こそ何ものにも勝る宝である。自らが団結した時こそ、中小業者の切実な要求を実現することができる。

第3は、中小業者は共通する要求で、労働者・農民など国民各層とともにたたかうならば、その要求実現の道をさらに大きく切り開くことができる。

勤務評定の闘いのこと
――教職員組合の取り組み

岡下　宗男
久美浜町　昭和5（1930）年生

1957年から58年にかけては、教育にとって大変な年でした。

1950年の朝鮮戦争を契機に日本を占領支配していたアメリカの対日政策が戦後民主化を進めるかのように見えたものの、急に後退、反動化し始めました。1953年には池田隼人が吉田内閣の特使としてアメリカに行き「池田・ロバートソン会談」が開かれ、日本政府として「日本の再軍備をすすめるために青少年に対する防衛・自衛についての教育をすすめる」ことが合意されたのです。以来、「偏向教育」攻撃や、教科書問題など一連の教育の反動化が進められたのです。

勤務評定についてはは1956年、愛媛県が県の財政改善のためということで、その実施を決めたのが始まりで、翌年には松本文相が府県教委長にその実施について要望し、勤評問題が急に浮上してきました。東京・大阪・和歌山・高知・福岡など全国の府県教組の闘いが始まり、組合の役員が逮捕される事態が相次ぎました。京都の場合は革新の蜷川知事が勤評反対を議会で明言していましたが、教育委員会は反動的でその実施を企てていました。京都の教員組合はこうした動きに対して警戒を強め、何回も反対を表明をしたり、教育委員会との交渉を進めてきましたが、一向に好転する気配はありませんでした。府下の各学校の教員は毎日のように各集落をまわり、親たちに集まってもらい、勤務評定の反対を訴え続けました。

4月20日、二条城の広場に全府下から、1万3000人の教師や父母、労働者が集まり、勤務評定反対の集会が行われました。僕たちは午前3時ごろ久美浜駅から多くの仲間や父母たちと一緒に汽車で二条駅へ出発しました。二条城につくと、見た事もないような大勢の人で広場は埋め尽くされていました。やがて司会が始まり、府下で一番北の端からきたということで熊教組の委員長であった平林先生が開会のあいさつをすることになりました。

しかし、こうした府下の教職員、父母たちの強い反対の声を無視し、府教委は勤評を進める姿勢を変えませんでした。そして7月、事態はいよいよ緊迫してきました。京教組は7月3日、拡大闘争委員会を開きました。そして、情勢報告の後、「最悪の場合、実力行使で闘う」ことを提案してきました。この会議には熊教組から柴田書記長が出席するはずだったのですが、他の用事と重なったため、代わりに僕が出席する事になりました。僕は他の支部の人たちと共にこの提案の討論もし賛成しました。帰って支部委員会に報告すると、みんなも賛成してくれました。こうしているうちに京教組から「いよいよ明日から3日間、組合員が5割、3割、2割の動員で実力行使に入る」との指令が届きました。支部委員会で早速討議し、その体制を固めました。当日は峰山の教育局の前に集り、教育局交渉をすることになりました。また、他の府県教組の経験から、その後警察の手入れがあることも考え、第二執行部を作ることになりました。おそらく逮捕されるとしたら、書記長の柴田さんと副委員長の田中先生だろうと考えました。それで第二執行部の委員長には吉田先生が、書記長には僕がなることになりました。また逮捕に備え、二人の私宅には連日当番を決めて警戒することなども決めました。しかし、校長先生たちはこの実力行使に反対で、とうとう組合から脱退することになってしまいました。こうして、いよいよ当日を迎えました。7月の9、10、11日の3日間で、1日目が終わった日の放課後、僕たちはすぐ書記局のある海部小学校に集り、当日の様子を聞きました。するとなんと、実力行使に入ったのは熊教祖だけで、中、竹の組合は数名の参加に終わったということでした、これでは足並みも乱れ、孤立してしまう。なんとか中、竹の教員にも参加を呼びかけようということになりました。連絡を取ったところ中教組では、この不参加に不満を持つ者も多く、臨時大会を開いて再度議論するという事でした。そこでそのオルグに僕が行くことになりました。

翌日の放課後開かれた中教組の臨時大会に行ってみると、一部、「オルグなど入れるな」といった意見もありましたが、多くの組合員の賛成で僕の意見も聞いてもらう事ができました。そして、遅ればせながら、3日目の集会に4割の組合員で参加することが決められました。しかし、竹教組はとうとう不参加のままで、一部の組合員が校長の許可のないまま、参加するということに終わりました。

こうして初めての実力行使はとにかく終わったのですが、他府県の例を見てもその後、警察の強制捜査や逮捕などがあることが多く、その面でも僕たちは警戒を強めました。そんな夏休み前に警察の任意出頭が多くの組合員にかけられ始めたのです。僕たちは断固「任意出頭拒否」をしながらがんばりました。しかし、すでに脱退した校長先生たちは任意出頭に応じました。そして夏休みに入って間もない日、警察の強制捜査がやられました。町内の多くの学校、組合員の個人の私宅などが捜索を受けたのでした。

奥丹教組の誕生

久美浜町　昭和5（1930）年生

岡下　宗男

勤務評定反対闘争の中で、熊・中・竹の三郡の教師たちの信頼関係は深まっていきました。丹後の教員を管轄する丹後教育局が一つだったので、教員組合も統一しようということになりました。それぞれの組織から統一準備委員が選出され、何回かの協議の結果、「奥丹教組」として統一することになりました。1959年2月のことでした。初代の委員長には中教組の久岡先生が、副委員長には竹教組の荒木先生、書記長には熊教組の柴田先生が、書記次長には竹教組の吉岡先生、中教組の藤村先生などがなることになり、僕も執行委員として参加しました。事務所は峰山にあった荒木先生の自宅の一室をお借りし、これ以来、奥丹教組は丹後地域の先進的な労働組合として、民主的な運動、平和運動などの拠点的な役割を果たして行くことになりました。

その後、事務所は今の峰山中学校の入り口の反対側にあった後藤先生の土地をお借りして教育会館を建築し、事務所を持つようになりました。管理人には下戸先生ご夫婦に当たってもらいました。

奥丹教組はその後、丹後地域の織物労働者の組合結成、賃金闘争なども支援し、自治体労働者の組織化や賃金闘争にも参加しました。久美浜町職の賃金闘争などには町職の労働者と共に先頭にたって町長交渉も行いました。1961年の網野の「織物闘争」は教訓的で、網野織物労働者たちの賃上げ要求を基本に網野織物業者全体組合との闘争に発展し、交渉は難航して織物労働者のストライキを含めた交渉が一週間以上も続きました。それらの労働者の多くはかつての教え子であり、比較的貧しい家庭の子どもで、「私たちは先生たちにも、十分、勉強を教えてもらわなかった」などと批判され、僕たちの教育の基本的な姿勢について深い反省を迫られることもたびたびありました。

この闘いは織物労働者たちの賃金だけでなく、全体の待遇についても大きな前進を勝ち取って終わり、労働者としての大きな自信と誇りへとつながりました。

また奥丹教組の執行部の中には他の教員組合などにはない農対部という専門部がありました。弥栄町の吉岡時夫さんや僕などがその分野を担当することになりました。弥栄や豊栄などで農村労働組合を、久美浜で久美浜農民組合を作りました。

教員組合独自の闘いとしては、前から続いていた「学カテスト」反対の闘いがありました。1961年の学カテストは五十河小学校と浜詰小学校が抽出校として実施されることになっていました。僕たちは当日、これらの学校にピケを張り、学カテストを実施させないようにしようとしました。しかし、教育委員会側も、地域の有力者やPTAなどを逆に組織・対抗し、浜詰小学校には大勢のPTAの人たちが集められ「お前たち、生きて帰れると思っているのか。海に放り込んでしまうぞ」といった罵声を浴びせられました。五十河小学校でも似たようなことであったそうです。

こんな激しい闘いの中でも、組合は一貫して「平和と民主主義を守る教育の確立」を求めて活動してきました。

第 32 回統一メーデー、峰山小学校

丹後の雪道で

丹後町　昭和17（1942）年生
広瀬　美枝

今も昨日のことのように思い出しています。もう20年あまり以前のことです。私も車の運転も楽々とできて、丹後の道路もスイスイと通れる時でした。網野まで用事があり、行きはよい天気であったのに帰りの頃　冬の丹後の天候もわかっているはずだったのに午後から空模様が変って　雪降りとなりました。

4Wの軽自動車なので、冬の道でも安心していたのですが、間人のあたりまで帰ってくると雪も多くなり、とうとう猛吹雪になり、走れないようになりました。家から迎えに来てもらおうか、車を止めて不安の中迷っている時でした。「どこまで帰られるのですか」という男の人の声がしました。「今から、下宇川まで帰るのですが、この雪では運転はできませんので……」

「宇川までは無理ですナ。車はここに止めておいて、あとでとりに来たらどうですか」

私は、「地獄に仏」とはこのことかと、この親切なお言葉に涙の出る思いでお世話になりました。

冬の丹後の自然と雪道の怖さを知りませんでした。こんな吹雪の中を、自分の帰り道も考えずに何のためらいもなく「送ってあげます」と言って下さる人が本当に夢のように思い、世間にはすごい人がいらっしゃるのだと、その時思いました。毎年、雪の季節になると昨日の事のように鮮明に思い出されます。

第二章

福祉と地域の医療を守る取り組み

峰山市街

父母が久美浜の障害者福祉施設を生み出した

久美浜町　昭和24（1949）年生
大下　映子

1990年6月1日以前、久美浜町には障害者福祉施設はありませんでした。与謝の海養護学校（当時）を卒業した人たちは近隣の町の共同作業所に工賃より高額の交通費を払って通所していました。

「久美浜町手をつなぐ親の会」の父母たちは、久美浜にも障害のある子どもたちが自分の家から通える障害者施設がほしいと長年にわたって要求をしてきました。1989年、町に「久美浜町障害者福祉施設整備設置審議会設置条例」が制定され「久美浜町障害者福祉施設整備審議会」が設置されました。親の会は「共同作業所設置についての要望書」を提出し、町議会には「共同作業所設置請願書」を1200筆の賛同署名とともに提出しました。これらの取り組みにより、親の会の意見が審議会の答申へと反映されていきました。

町の方針としては、国や府の補助金と国の措置費で運営され、設備も整った法人認可施設の建設を、とのことだったのですが、それには国の法人認可をとるなど施設開設までに時間を要し、さらに自己資金もかなり準備をしなければなりませんでした。また当時の国の障害者福祉施設設置基準では「同一障害で20人以上の施設利用者」が必要でした。久美浜町で見込める規模ではありません。

そこで親の会は、「条件は不利だが町が設置を決めればすぐに開設でき、障害の種別や重度・軽度にかかわらず久美浜町に在住し利用を希望する障害者はだれでも利用できる無認可共同作業所を作ってください。そして、条件が整えば速やかに法人認可施設を設立してください」と要求をまとめました。

この要求は設置審議会の答申にのっとり、人的・物理的条件の整備や運営の基盤をよりよくすることのできる認可施設をめざしながら、当面、平成2年度の早期に無認可通所施設《共同作業所》を設置し、設置主体は久美浜町、運営主体は手をつなぐ親の会や関係する福祉団体等をもって構成するなどと盛り込まれ、久美浜町は親の会の要求を受け止めました。

共同作業所の開設が実現しても財政は貧弱で、府の補助金・町の委託費はあるもののそれでも国の措置費の半額以下です。

そこで、共同作業所を知っていただき財政的にも支えてもらうためにと、親の会が中心となって「久美浜障害者福祉施設を作り育てる会」を作り、町内の一軒一軒を「作る会」への入会をお願いして訪問しました。訪問した先で励まされ、元気になって一人でたくさんの入会者を獲得した人もいる反面、厳しい言葉や冷たい態度をとられ、「障害をもつ子の親が、なんでこんな悲しくつらい思いをせんならんの」と涙ながらに報告する人もありましたが、約2000人もの協力を得ることができました。町民のみなさんからの理解や励ましがみんなの共通のものになり、父母の誇りと自信になっていくのが目に見えるようでした。

この活動が、地域に根ざし地域と共に、地域の財産としての「久美浜共同作業所」の基礎を作りました。

1990年6月1日、久美浜共同作業所が久美浜町旧佐濃北小学校を改修し開所しました。1990年3月に与謝の海養護学校を卒業した2人とみねやま作業所に通所していた1人、在宅となっていた5人を加えての利用者8人と、職員2人での出発です。5年目には23人、10年目には29人と次々に仲間が増えていきました。

共同作業所の取り組みをしながら、法人認可施設化の条件作りを進めていきました。自己資金を作るための資源回収（廃品回収）、ふれあいバザー、家族会による毎月の積立。運営委員・家族会の役員による先輩施設の見学研修など行いました。

法律の改正により、知的障害者と身体障害者の施設の混合利用が可能になり、作業所利用者数も充足する見通しができる中、1999年、いよいよ町担当課長と峰山振興局と、認可についての話し合いが始まりました。2002年、当時丹後6町の合併の動きがある中で、丹後圏域にはすでに峰山町、網野町に通所の認可施設が、大宮町に入所の認可施設が存在し、合併してから新たな法人認可は難しいことが予想されたため、合併前の認可が急がれました。

そしてついに、2003年8月8日、知的障害者通所授産施設の設置経営を目的として、社会福祉法人久美の浜福祉会が法人認可されました。2004年4月、知的障害者通所授産施設「あおぞら」、2004年10月、精神障害者小規模通所「つばさ」が開所しました。

新しい施設と職員体制で出発した法人認可施設では、新しく豆腐製造、紙漉き、作業所時代からのさをり織、地元の方につくっていただいた炭焼き窯での炭焼きが新しい作業科目に導入され、意気揚々と出発しました。

ところが、2006年4月、障害者自立支援法の施行により、権利としての社会保障が市場原理の中での自己責任へと変わっていきました。現場では、就労自立を目的とする就労系と支援を受けて日中活動をめざす介護系の新事業体系への移行が求められることになりました。

「僕も働きたい、僕だって働けるんだ！」と、重度の障害でもその障害特性に合わせて一緒に仕事にとりくんできた仲間たち、また「障害が重度のうちの子にも働く場を作ってやりたい」と知恵と力を寄せあって作業所を作ってきた父母の思いに反して、仲間たちを選別することが求められました。久美の浜福祉会も２００８年４月、知的障害者の通所授産施設から生活介護事業所「あおぞら」と就労継続支援事業所「つばさ」、就労移行事業所「つばさ」に再編し、障害程度区分によって利用する事業所が決められるようになっていき、仲間が分断されていきました。

介護系では障害程度区分によって事業所の受け取る報酬が区分され、就労系では仲間の就労による利益と工賃配分の出来高によって事業所の受け取る報酬の加算がおこなわれるという報酬体系となり、作業効率や作業能力のよい仲間が歓迎されるようになっていきました。一人一人の特性を大切に生かし、誰もが大切な一人の人として尊重される基本が、国の施策の中で揺るがされていきました。

国連の障害者権利条約では「障害者が他の者との平等を基礎として居住地を選択し、どこで誰と生活するかを選択する機会を有する」とあります。

現状では障害者総合支援法の重度訪問介護サービスの24時間支援制度はあっても、サービス事業所がほとんどなく利用できません。久美浜町の障害当事者や家族が望んでも、グループホーム利用の定員の関係でなかなか困難です。まして重度障害者の場合は個人の自立生活はハードルが高く、不可能な現状です。

まず、重度の障害当事者をもつ家族の方々が安心して支援を依頼することのできる重度障害者に対応できる条件を持つグループホームが必要です。

外出時に支援できるガイドヘルパーが充

実されることで、当たり前に地域で楽しく充実した生活を送れるようになりたいです。さらには、本人が望めば自立して地域で暮らせる環境が望まれます。

現在の生産性や経済性一辺倒の世界では重度の障害当事者は置いていかれてしまいます。格差や生きづらさを感じる「不寛容な世界」の転換が、誰もが生きていてよかったという世界であり糸賀一雄先生の「この子らを世の光に」という福祉の世界ではないでしょうか。

たんご協立診療所

健康と平和の「砦」診療所建設運動のあゆみ

大宮町　昭和26（1951）年生
森岡　広子

1994年、医院が次々と閉鎖され医療過疎地になった地域の人たちの「安心してみてくれる小児科がほしい」「患者の訴えを聞いて丁寧な説明をしてくれる診療所がほしい」などの願いをもとに、住民と京都民主医療連合会（以下民医連）との懇談が始まりました。「民医連」が何かもわからないなか、医療懇談会を各地で開きました。住民が主人公の診療所があること。それを住民と民医連が一緒につくることの大切さを学び、「わたしたちの診療所をつくるんだ」と健康友の会が発足しました。

各地で開催した懇談会で検討した「こんな診療所がいいな」という要望を踏まえ、「5つの柱・目標」にまとめました。

1、患者の立場に立った診療所
2、気をつかわなくてよく納得のいく診療所
3、医者と患者が対等の立場で安心してかかれる診療所
4、いざという時も安心できる診療所
5、共に運動できる診療所

設計懇談会では、トイレの便器の色まで投票で決めました。みんなが集まれるホールを！とコミュニティホールができ、プライバシー保護のため診察室に防音対策の扉を設置。しんどい時、寝て待てる場所がほしいと待合室に畳コーナーを設置。

資金集めは苦労の連続でした。目的を理解しすぐ協力してくださる方もありましたが、幅広く大勢の人に協力してもらわないと資金は集まりません。玄関まで行って中に入

れず帰り、意を決してまた行ってお願いできた方もあります。

そして、1998年7月1日、みんなの思いが詰まった「たんご協立診療所」が誕生しました。この名前も投票で決めました。

診療所開設後は「地域の健康づくり」をめざし、様々な運動を展開してきました。通院手段のない患者さんの通院を助けるボランティアの検討を始め、そうしたことが功を奏し、利用者は年々増加しました。この取り組みは、丹後の各医療機関に広がりました。

2000年に専従職員を配置できたことは画期的なことでした。通院ボランティアの日程調整や相談業務など、職員がいることで患者さんや会員さんが気軽に相談できる場となりました。

2007年から京丹後市へ毎年「住みよい町づくりを求める要望書」を提出し、市職員と友の会役員が懇談をもち、現在に至っています。要望は多岐にわたり、米軍基地や原発問題、丹後の医師不足、最近では新型コロナウイルス感染対策の充実や大規模風力発電の建設計画についても。交通手段のない住民にタクシーチケットをと要望し、実現しました。要望書を提出している友の会は府下でも少なく、注目されています。

今、友の会は会員減少の危機に直面しています。高齢のため施設に入所された方や亡くなる方などが増えています。入会は、目に見えるメリットがなく、「友の会の目的を理解して入会します」という方が少ないのが現状です。

暮らしはますます大変になり、女性、障害のある方、子どもなど弱い人にしわ寄せがいっています。友の会が地域に根ざして「困ったことがあれば友の会を頼ればいい」そんな存在になればと思います。

健康友の会の活動と「たんご協立診療所」建設の取り組み

大宮町　昭和5（1930）年生
小谷　正一郎

1994年ごろ数人の有志によって、住民主体の医療体制と町づくりをめざす運動が準備されようとしていた。荒田保次氏、山添博史氏らを中心に数人の若い人達が集まっていた。この運動は民医連の運動と連携して、民主的な町づくりをめざす人達の運動であった。この人達は学習会や懇談会、先進地視察などを積み上げながら仲間を増やし、「健康友の会準備会」を6名の参加者で結成した。

1995年の初め、私は誘われてこの運動に参加した。当初はわからないことばかりであったが、「民医連綱領」を読んだ時の胸が震えるような感動を忘れることはできない。

このころ、準備会は全町民に対してチラシによる「健康友の会」への入会呼びかけをしている。準備会では町内各地で医療懇談会を行い、「健康について」のアンケートを実施するなど活発な取り組みで会員を募り、会の結成に向けて努力を尽くしていた。

「大宮健康友の会」の結成

1995年11月19日、「第1回医療と健康の集い」が開催され「大宮健康友の会」の発足総会が行われた。（この時点での会員数128名、総会出席者50名）

最初から準備会の中心であった荒田氏、山添氏らはもちろん、他の人達も自らの暮らしをかえりみないで会の発足と発展のために力を尽くした人達であった。ことに自分の仕事を持ちながら、そのうえ子育て真最中の若いお母さんたちでありながら連夜の会議や活動に真正面から取り組まれた皆さんと、理解して応援されたご家族の皆さんには本当に頭が下がる思いであった。

もうひとつ特筆すべきことは、民医連から派遣されたリーダーたちの活躍であった。京都保健会の常務理事であった由良芳実氏と長田茂氏であった。長田さんは「大宮健康友の会結成総会以来、厳しい冬の峠越えなど四季折々の丹後と京都の往来にいつの間にか98回（この間走行距離2万3000キロ）」と述懐しておられる。由良さんはさらに診療所建設後も丹後に密着されて指導と助言をされた。由良さんは医療問題に精通され、常に他人の気持ちをよく捉えて発言され、人権と民主主義についても常に留意されていた。私はこの人によりかかり、頼り切って行動することができた。私の人生の中で最も尊敬する人物の1人である。

このころ、会は「安心して住み続けられる町づくり」をスローガンに、健康への関心の喚起と民主的な医療制度をめざし、また会員拡大をめざして各集落ごとに「医療懇談会」を開いていた。それぞれの集落に住む運営委員が中心になり、3人5人というような小集会が多かったが、民医連の医師たちが講師として出席し、よく協力された。三坂地区では公民館で懇談会を開催したが、綾部協立病院の川崎繁院長が出席され、35名の驚異的な参加者で大盛況となり、私も面目をほどこした。

「丹後健康友の会」の発足

1996年は健康友の会にとっては大変あわただしい年となった。

大宮健康友の会は会員拡大と学習活動に懸命であった。一方、目的達成のためにこの運動を丹後規模に拡大しようと考えて、7月には「丹後健康と医療を語る会」が設立されて大宮の会と連携しながら活動を進めることになった。

1997年1月には2つの会が協力して

「丹後に民医連の診療所をつくる協議会」を開き、本格的に診療所建設に取り組むことになった。８月には２つの会が統合して「丹後健康友の会」を結成し、丹後地域職業訓練センターを会場に結成総会を開催した。

会員拡大と診療所建設運動と学習と

１９９７年は丹後健康友の会が発足し、診療所建設の取り組みが本格化した年である。

丹後健康友の会では、発足の時から３０００名（世帯会員）の会員をめざしていた。しかし、これは大変な取り組みであった。体制の側から歓迎されない運動は「アカい診療所」「共産党の診療所」と意図的に中傷するものもいて並大抵ではなかった。このような困難を乗り越えて運動を発展させることができたのは、もちろん会員の努力があったからこそであるが、数回にわたって展開された「丹後デー」が大きな激励になったのは間違いない。「丹後デー」は京都民医連や近隣の友の会の仲間の皆さんが大挙して来丹し、私たちと一緒になって地域回りをした取り組みのことである。

この取り組みは綾部協立病院の川崎院長、舞鶴協立診療所の高塚所長、綾部健康友の会の森本会長、舞鶴健康友の会の吉見会長をはじめとして本当に多くの皆さんの応援を頂いた。

診療所の建設資金は予算の約半額の１億円を友の会で集めることをめざしていた。この資金は出資法に則り、会員から借りるというタテマエで、有利息、無利息の２種類があった。寄付金ではなかったけれども資金集めは楽ではなかった。１人当たりの出資額は３００万円を上限として、なるべく多くの人から集めようとしていた。「自分たちの診療所」という意識を育てようという考え方に基づいていた。

診療所の建設については、場所をどこにするかに始まって、どのような建物にするか、形・規模・床の色・壁の色・１足制か２足制かまで徹底的に議論した。これは設計を担当されたタップルートの光田康宏氏の発案によるワークショップ方式の設計懇談会で6町全部を回って実施した。当時のほとんどの会員が参加して意見を言うことにより「私たちの診療所」の意識が強まった。玄関の正面に皆の手づくりのタイルがびっしりと埋め込まれることになった。

資金集めにとりかかろうとしていたころ、現代座の「絆をつくる町」の公演が提起された。この演劇は阪神・淡路大震災の混乱の中で小さな町の診療所を中心にばらばらになった人達が絆を取り戻して力強く復興に踏み出していく様子を描いていて、私たちがつくろうとしている診療所そのもののようであった。多くの人達に見てもらって私たちの意図を理解してもらおうということでこの公演をひきうけることになった。「絆をつくる町」は五百十枚余の券を売り、400名を集めて公演され、多くの人に感動を与えて成功した。

たんご協立診療所竣工

1998年1月、診療所建設予定地で起工記念集会を開催し、参加者60名で石場つきを行った。7月1日竣工・開所。友の会会員、職員ら38名が駆けつけて開所を祝った。初日の患者数は13名と記録されている。7月26日たんご協立診療所竣工式、祝賀会が丹後地域職業訓練センターで260名の参加によって開催された。

診療所建設運動は、事情をよく知らない多くの人達を惑わせる誹謗・中傷の妨害もあって非常に困難であったけれども、民医連の活動家と友の会の会員の団結と粘り強い努力によって克服された。開設後になっても「私は創価学会の会員ですが、診察してもらえるんでしょうか」という問い合わせの電話があった。はじめは手探りであった患者も徐々に増えて、1日100名を越えるようになり、職員は多忙を極めるようになっていく。

丹後健康友の会は当初から「安心して住み

続けられる町づくり」をスローガンにして、医療に関する地域課題に取り組むとともに、社会保障全般、平和な社会構築のための運動に参加するなど、幅広く活動してきた。非常勤であったけれども専従者を配置し、運営委員会の窓口としての役割を果たしてきた。また、事務所に「何でも相談所」を開設して医療・介護は言うに及ばず、教育・暮らし・家庭・子育てなど広く会員の悩みに応えることにした。

また、診療所への送迎をボランティアで行った。これは利用者が多く大きな期待をもたれていたが、道路運送法の改定により、無償で行わなければならなくなり、ボランティアの完全犠牲によって行われている。利用者には大変喜ばれているが、解決されなければならない課題となっている。

年1回の「平和健康まつり」も多くの会員の参加で年々盛大になってきている。毎週1回のふれあいサロン「陽だまり」では9条問題も論議されるなど、中身も非常に充実してきている。

このほか無数の医療懇談会、行政に対する要求交渉、各種シンポジウムなどへの参加の活動もあり、会員数は大きく増加し、やがて1000世帯（世帯会員）となった。

私は1995年、大宮健康友の会の活動に参加して以来十年余にわたり、多くの若い熱心な、そして誠実な方々に支えられて貴重な経験をさせていただいた。

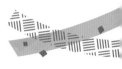

地域医療を守るために
――丹後社会保障推進協議会の取り組み

峰山町　昭和22（1947）年生
山本　忠男

丹後社会保障協議会は、「我が国の社会保障制度を拡大・充実させ、また丹後地域の住民の生活と健康を守るための諸活動を推進することを目的に（規約第3条）」１９９９年9月16日に結成された。諸事情により一時休会していたが、２００８年7月2日から活動を再開した。

与謝の海病院脳神経外科が２００９年4月から休診になるとの情報を得たので、その打開を求める要請行動を始めた。２００９年6月18日、８４９３筆の要請署名を京都府へ直接提出した（同年11月2日丹後広域振興局へ署名第二次分４３５５筆を提出した）。２００９年6月29日京都府議会において、山田知事は、「一刻の猶予も許されないという思いで、7月14日から外来診療を再開する」と答弁。休診期間は3カ月半で、外来のみ再開。「同年11月27日から入院・手術も再開」することになった（入院・手術の体制は、知事選挙が終わった２０１０年6月まで。現在は外来診療のみ継続）。「同じ京都府民なのに命の格差があっていいのか」という〝いのちの平等〟を訴えた1万２０００筆を超える署名と要請行動など、この間の私たちの取り組みが、京都府を動かしたものであり、運動の大きな成果として確信となるものであった。

与謝の海病院が京都府立医科大学へ附属化されるとの動きの中で、２０１２年11月

22日、「地域医療を守れ」と丹後から大型バス1台47人で京都府や府立医科大学へ要請行動を行った。残念ながら与謝の海病院は２０１３年４月に京都府立医科大学附属北部医療センターになってしまったが、この年９月に「丹後地域医療と介護の実態調査」を実施。新聞にアンケートハガキ付きビラを折り込み、府内から述べ１５０名が調査員として参加した。各戸訪問で集めたアンケートと郵便で返ってきたハガキを合わせると２０００通ほどが集まった。同年11月30日実態調査結果報告集会を開催し、府内各地から約１０００人が集まった。２０１９年６月２日、３日「府北部（綾部以北）医療と介護の実態調査」を取り組んだ。府民アンケートの回収は、１４２７通。病院、医師会、自治体、保健所、介護施設から多く意見が寄せられたものの、まとめ会議や報告集会は、新型コロナ感染症流行に伴い延期中であるが、調査の中では、通院の交通手段の確保で困っている、専門医が少なく遠くの病院

2012 年 11 月 22 日「地域医療を守れ」と京都府庁前でシュプレヒコール

に通院している、との悩みが多く寄せられた。京都府立医科大学附属北部医療センターや弥栄病院、久美浜病院は、地域医療を守るという公的責任を果たすために診療科目の充実と体制の強化が求められていることが明らかになった。

２０１９年2月、国保税が引き上げられる動きがあり、「国保税の負担軽減を求める陳情書」を市議会へ提出。同年５月にも同趣旨の陳情書を提出し、協会けんぽ並みの保険料にすべきだと意見陳述を行ったが、不採択となった。

私たちの取り組みや世論に押されて、２０２２年４月から国の施策で未就学児の国保税均等割を半額に軽減することになったが、「子育て応援」を打ち出している京丹後市は、他の自治体に先がけて、まずは、18歳未満の子どもの均等割を廃止すべきである。

平和健康まつりのステージ企画

会員の声を届ける京丹後市との懇談会

美味しいコーヒーと抹茶を点てる陽だまりスタッフ

米作りについて

大宮町　昭和5（1930）年生
下工垣　弘和

米を食べる人が少なくなるなど、農業を取り巻く環境は厳しさを増しています。米食の習慣の減少をなんとかするため、産直米活動に取り組み、米を京都市内の人たちに食べていただいています。この活動は今も続いています。消費者の「安全で安心して食べられる米を」と言う願いにも応えるものになっています。

今は「こしひかり」というおいしい米がありますが、かつては「旭日4号」がおいしい米の代表でした。この米は「ほくびイモチ」に弱く脱粒がはげしく増産できる米ではありませんでした。そこで、福井農事試験場が農林22号と旭4号を交配し開発したのが「こしひかり」だと聞いています。丹後農事試験場では古代米から米作りをおしえてくれると思います。種の保存や産直を扱っています。食糧管理制度といって国が米の管理をしていますが、京都府では「蜷川食管」といって元京都府知事が米をたくさん作って増産を助けたものです。

今は栽培技術も進んで機械ですべての作業をやりますが、私が若かったころは除草と中耕をかねて、「田の草ツメ」という金具を指にはめてやっていました。金比羅山の祭などで、その金具を売っていました。今は除草剤農薬も進んで田植も除草も同時に機械でやってしまいますが、それまでは大変な仕事でした。

第二章
丹後の女性たちの願い

網野町銚子山古墳

多様な「小組活動」と新婦人

久美浜町　昭和22（1947）年生
梅上　弘美

新婦人の活動の醍醐味は「小組活動」というサークル活動です。子どもたちが小学生のころ、親子書道小組がありました。親子で書道を習うことができ子どもたちも楽しそうでした。その後、婦人書道に変わり、ずっと続けています。両親の在宅介護中は参加できないことも多くなかなか上達しませんが、毛筆で書くことが減ってパソコンに頼ってしまう中、自分を試す意味からも続けてきてよかったと思っています。長年の先生は亡くなられたものの、幸いにも後任の先生に恵まれ、自分たちの子どもの年代の方に教えてもらい、月一回ですがたくさんのお手本を持参していただき（選ぶのを迷うくらい）気軽に楽しく続けています。ロシアのウクライナへの軍事侵攻が続く中、「般若心経」をみんなで書いて平和の祈願をしました。

お茶小組に参加した思い出もあります。形式にこだわらず、足の痛い高齢者の会員さんでも正座を押しつけず、足を出し、普段着のまま気軽にお茶を習えて、時には野外で野だても経験させてもらいました。私の生活力でお茶を習えるとは夢にも思っていなかったので、一生の思い出です。日本の伝統文化を伝えたいという思いで、素人の私たちに貴重な経験をさせて下さった先輩会員さんにめぐりあえたこと、新婦人の会に入ってよかったと思います。指導して下さった先輩会員さんが亡くなられて、残念ながらお茶小組はなくなりました。

その後、新婦人丹後支部として統合され、久美浜ブロックとしてスタートしました。そして、新しくコーラス小組、絵手紙小組、物つくり小組がスタートしました。

コーラスでは歌唱指導とピアニストと二人の先生にお世話になり、月一回の例会で童謡などみんなの知っている歌を歌いかわし、平和のうたなど新しい曲も習い、毎年の「丹後　みんなでつくる音楽会」に参加したり、京都市内で開かれた全国大会にも峰山と合同で参加したりしました。

絵手紙小組では、月一回、担当の会員さんが、いつもきれいな花などを用意してくださり、描いています。久美浜ブロック総会や丹後支部総会にも展示したりしました。おしゃべりできるコーヒー・タイムもすごく盛り上がります。

物つくり小組では手芸はじめ、牛乳パックのいす作りや紙すき、干支の置き物、ちりめんなどのはぎれでかざり物、布ぞうり、はやりの手作人形（かかし）など、会員同士で希望をだし合い、教え合って和気あいあいとやっています。会費から会場費・冷暖房費などにあてているので、やりくりがきびしく、健康サークルもふやしたいのですが難しいです。

最後に忘れられない思い出があります。

諸先輩会員さんたち、そして久美浜町内外の多くの方々の力で念願の「久美浜原発推進を阻止することができた」ことです。その運動の中で、実際に原発反対運動に成功した四国の窪川町へ交流バスで参加しました。マイクロバスしか通れない狭い海岸沿いの道路を通り、車窓のすぐ下が海で、ゾッとしました。別の所に広い道路をつける条件で原発を推進することを約束させようとする電力会社の思わくだったそうです。地域や家庭内の分断とのたたかいの中で、小集会をたくさん持ち続けてがんばったという貴重な経験を聞くことができました。

福島原発事故のたいへんな様子をテレビなどで見て町内のあちこちで「久美浜原発ができなくて良かったねえ」という声を聞きました。「久美浜に原発をつくらない」という発表を聞き、ある先輩会員さんは思わず外に出て空に向かって大きく深呼吸をし、「子どもたちにこのきれいな空を手渡すことができるよろこびを胸にきざんだ。がんばってきてよかった」と言っておられました。それは私も同感でした。

平和、そして安全でなければ安心して生活もできないし、みんなと一緒に楽しく何でもやれません。

書道、コーラス、絵手紙、物つくりと、できるだけ参加し、少々、行義がわるくても平和のためのおしゃべりと考え、とにかく、和気あいあいと続けることが大事と思っています。今後、一人でも多く女性の方々の参加がありますように。

丹後母親大会

親子で習字小組
（久美浜支部）

母親運動のスタート

石井　智恵子

戦後、全国あちこちで多くの婦人団体・労組婦人部が生まれました。久美浜でも自分たちの要求で力を合わせることのできる民主的な婦人組織がほしいと、心ある者で「ふたば会」を結成しました。１９５４年ごろだったと思います。会員数は30人くらい。

このころ、小学生にインフルエンザの予防接種をすることになりました。ところが、ある保護者から「貧乏人の家の子は死んでもよいというのですか。お金のある子はよろしいが、とてもそんなお金はありません」と返事がかえってきました。私はこの手紙を読んで「しまった」と胸のしめつけられる想いと、考えの浅はかだったことを深く恥じ、手紙を握ったまま反省していました。

「どの子どもたちにも同じようにインフルエンザの注射ができる方法を考えなければ」ふたば会のお母さん達と相談をし、町長交渉をすることにしました。初めての自治体交渉です。

今までの経過を町長さんに伝え、予防接種代は無償にしてほしいと要請しました。当時の小谷町長さんは、「気持ちはよくわかった、来年度分からは必ず予算化して無料にする。本年度分は半分だけ補助をする」と約束。あくる年からは、無料で実施されることになりました。この運動はすぐ丹後一円に広がり、すべての町（6町）が無料になり、現在に至っているのです。私たち母親の運動は、今でいう草の根運動として広がっていきました。

丹後織物闘争を振り返る

坂根　鈴子

丹後の労働者、とりわけ婦人労働者にとって忘れられないのは、1961年の春、網野町を中心として闘われた織物闘争であろうと思います。

この前の1960年は日米安保闘争の年でした。

経済は、神武景気といわれる好況の中にありながら、前時代的ともいえるしくみと低い賃金で、長時間の労働を強いられていた丹後の労働者も、各地に労働組合を作って立ち上がりました。

この時網野の織物労働者の月収は6700円。全国労働者の平均が2万9000円、信用金庫の労働者は最低1万1000円、西陣では、織機1台持ちで1万6000円であったといいます。

1961年4月29日、網野織物労組では、「業者間協定粉砕」、「低賃金打破のため1律3割賃上げ」の要求を掲げ、無期限ストをもって闘うことを決議しました。

今まで親方のいいなりだった若い織手さんたちは、頭に団結の鉢巻をしめ、白いエプロンを連帯の印にして立ち上がりました。

スト最中の6月3日には、共闘会議の呼びかけによる「政暴法粉砕、網野織物労組支援全丹後総決起集会」が、網野小学校グラウンドで開催されました。

集会にはもちろん、福知山、綾部以北の各労組や民主団体がバス32台を連ねて参加し、5000名という丹後でかつてない大集会になりました。

１３００台の機が止まり、ちりめん9万反の減産を余儀なくされた機業主側は、ようやく京都地評の議長の斡旋を受け入れ、６月17日、33日ぶりに解決をみました。

その内容は、
○１律25％の賃金アップをする
○最低賃金は１日２２４円とする
○夏期一時金として、２０００円を支給する
というものでした。

網野の町に再び機音が響き、各職場が平穏をとりもどしました。

旧網野小学校グラウンドに5000名の女子織物労働者・農民・労働者が集まる

丹後織物闘争
——丹後に生まれて

丹後町　昭和8（1933）年生
宗村　芳

「実社会へ出るとのこと。実社会は、僕たちが常に思っているのと想像以上にかけ離れているらしい。がんばってください。

苦しい時は山を見よ！　悲しい時は海へいけ！　山が、そして海が、何かを君に与えてくれるだろう……」

今もはっきりと覚えています。中学校卒業を控えての友達のサイン、そして、くどいほど言われた「主体性を忘れるな」との先生の言葉……。目に見えない「女工哀史」の文学が胸に飛び込んだ工場勤め。目にするもの、耳にするもの、すべてがあまりにも私には矛盾だらけで、想像とはおおよそ遠く、その中に融け込むことのできない自分が、ただ悲しかったのです。

「流されたくない。どんなことがあっても、わたしはわたしだ」と……。

5分間の停電でも時間を戻し、その分だけの賃金カットで私達は充分でした。しかし、その5分間になんとその当時100台近く稼働していた機械が、平均1反の白生地を織り上げる計算だったのです。世にいうガチャ万時代は、1分といえどもおろそかにはなりません。

また、あのローソク電気の自分、朝は4時半ごろ出勤したのを覚えています。

ただただ、働け、働け……。いま思えば、こうした私達の年代の人たちによって日本の高度経済成長は成し遂げられたのではないかと。

あらゆることに抵抗を感じ、反面にささやかな喜びも得ながら、私も少しずつ成長しました。そして、月日は流れて私の工場生活に強烈な1ページを残すときがきました。

1962年5月17日、私たち丹後織物労働組合は、3割の賃上げ闘争で無期限ストライキに突入したのです。鉢巻に、白のエプロン。毎日毎日各工場の前でピケを張り「ガンバロウ」を歌い、闘い続けました。

女性ばかりで編成された情報行動隊、その私たちが西も東もわからぬ京都の街で、京都総評の方たちの指導のもと、あちこちで闘争のアピールをしました。そして賃金カンパの要請。総評参加の組合事務所、また、大会の場所へ毎日足を運びました。ときには大学の学生食堂で昼食をとり、夜は目的の場所近くでの外食、朝、宿を出てから就寝前まで外で行動する日が続きました。今でもこの脳裏に灼きついています。夕闇迫る円山公園で生まれて始めて大勢の人の前でしゃべった、あのときの闘争のアピール。丹後織物労働組合といっても、はたしてどれだけの人が知っていたでしょうか。ただ夢中でした。不思議にしゃべりはじめると度胸がすわったというか、自分でも驚くほど次々と言葉が口をついて出てきました。大きな拍手と会場から集められたカンパ金をどれほどうれしく思ったことか。そして、闘おう、最後まで、みんなと一緒に……。固く固く決心しました。

1日中歩き疲れて帰ったある夜、宿のご主人がちょうど網野出身の方だったので、ことの外親切で「今夜はサービスに東山のドライブウェイにつれてってあげる」と車を出してくださいました。そしてまるで宝石を散りばめたような京都の夜景がどんなに美しく目に映ったことか……。生涯忘れはしないことでしょう。

母親たちで実現した、島津・府道舗装の運動

網野町　大正13（1924）年生
三浦　郁子

1968年7月の終わりごろ、島津の大谷区の内田宣子さんから「今年、峰山中学校で開かれる丹後母親大会に蜷川知事さんが来られるんだったら、家の下の道を舗装してほしいと頼みたいわ」という要求が出た。

8月1日夜、道に面した家のお母さんたち約10名が集まり、困っている点を話し合っていただいた。

明日から、この運動をどう進めていこうか。町長と町議に頼みに行ってはどうか。峰山の府・土木工営所に頼みに行ったらどうか。

8月6日、内田さんと私は土木工営所長にお会いし、一生懸命にお願いをした。署名を考えよう。署名用紙を急ぎ作って、島津の人たちに頼んでまわった。

島津公民館で、7名の島津のお母さんたちと町長交渉を行なった。町長は「とうから府へ頼んであるけど、舗装の順番が来ないんだ」と言う。内田さんは「何月何日に頼みに府へ行っていただいたんですか」と質問。

すると町長はあわてた。返事ができない。頼んでいなかったのである。

それから8月13日、1番の汽車に乗って府庁へ。今年の丹後母親大会に蜷川知事にお出でを願うことになっており、母連会長（石井智恵子さん）と事務局長の私が行くことになっていたのだが、内田さんも同行することになった。

3人は知事室へ通されると、蜷川知事は「丹

後のお母さん達が来てくれるのを待っていました」といろいろと尋ねられ、話が続いた。「道路の舗装、ここで決めるのは何だから母親大会の時、地域の方々に多数来ていただき、そこで正式にお返事しましょう」

母親大会の当日、参加者800人あまりが峰山中学校体育館にあふれた。島津地域の人々は約60名が参加した。

8月末、内田さんから道路の測量が始まったことを聞いた。「本当!」と、あまりの実施の早さに驚いた。うれしかった。

その秋の勤労感謝の日、大谷区の府道の舗装が完成した。

内田さんは、子どもたち・お母さん達の喜びの手紙をまとめ、蜷川知事に送った。

「金は一時、放射能は末代!」久美浜に原発はいらない!

小国　和子

２００６年2月11日、１本の電話があり、受話器の向こうから「久美浜原発計画が白紙になった」と明るい声。

私はあたたかい思いのこもった声につき動かされたように、外に出て空を見上げました。早春の晴れた空、澄んだ空気、頬にあたる風もさわやか。思わず両手を空に広げて大きく深呼吸をした。

子どもたちに胸を張って久美浜の自然を汚すことなく清らかなままで渡すことができる喜びは大きい。ああ、がんばってきてよかった。長かった30年間の闘いの数々が脳裏をよぎった。そして得も言えぬ感動のようなものがこみ上げてきた。

「久美浜に原発はいらん」「子や孫に美しい故郷を守ってやらんならん」という強い思いで、これまではっきりと自分の意見を言わなかった女達が「エイ!」と自分に掛け声をかけて「いやだろうが、恥ずかしかろうが、やらんならん時はやらんならん。今せなんだらいつやるの」と町内に女性の風を巻き起こした。私はすでに教職は退職していたが、新婦人の会から久美浜母連にでて、原発反対運動をみなさんと共に続けていた。

87年から12年間、左濃地区を拠点にして月1～2回のペースで続けていた女性中心の学習会は、反原発運動の中で意義をもつよりどころであった。「女性よ、風になれ」の原動力ともなり、闘いを揺るぎなく支える芯張棒の役割を果たしたように思う。

新婦人京丹後、50年のあゆみ

峰山町　昭和14（1939）年生
松村　智恵乃

1962年の新婦人発足と同時に、峰山・久美浜には支部が、大宮はじめ各町に班があったようです。峰山の塩谷さんは中央の呼びかけに応えて支部を、久美浜では石井さんが中心に民主的な婦人の組織を結成。大宮では岸本さん、高橋さんが「小児マヒから子どもを守れ」と厚生省への交渉団に参加しました。

また、60年安保の後、網野から始まり広がった織物闘争は激しく闘われ、多くの女性たちが目ざめていきました。民主団体も生まれ要求が高まる時期に、「ポストの数ほど保育所を」という働くお母さんたちの要求から、乳児保育、延長保育、放課後児童クラブなどができ、今では市の責任で運営されています。

入院助産制度、地元保育所の通園路の安全確保、就学援助制度など子育て支援や、塩谷女性町議誕生と同時に、女性の願いや要望が実現していきました。

私たち新婦人は、首長選挙では民主団体の一員として「会」に参加し、積極的に闘ってきました。押しつけ合併で当選した市長のセクハラ事件では、被害女性を支援しました。下水道・くみ取り料金値上げでは各団体あげての署名を添え新婦人が陳情し、みなし採択でしたが陳情が採択され、多くの人に元気を与え、運動の確信となりました。

要求別小組が久美浜から峰山、丹後町へと広がってきています。楽しくしゃべって学び、平和とくらしの願いをかかげ、未来に責任のもてる新婦人京丹後支部になりましょう！

新婦人60周年によせて

峰山町　昭和27（1952）年生
田中　雅代

新婦人は1962年10月19日、平塚らいてう（婦人運動家）いわさきちひろ（童画家）など、32人がよびかけて創立されました。

ここで少し平塚らいてうさんのことをお話しようと思います。

みなさんもご存じの通りかと思いますが、らいてうさんは1886年（明治19年）生まれで1971年85才にて死去されました。

私たちは、らいてうさんて、活発であちこちに出向かれて婦人運動をされてきたすごい人だと思っていたのですが、お孫さんいわく、ひ弱で背も低くあまり外に出られない人だと言っておられ、びっくりした次第です。

でも、いろいろな文を書かれ、中心となって活動された芯の強い方だったと思います。

らいてうさんと言えば女性雑誌の「青鞜」（1911年）の初発刊の巻頭にある「元始、女性は実に太陽であった」ということばが有名です。このあとに「真正の人であった、今、女性は月である。他によって生き、他の光によって輝く病人のような蒼白い顔の月である」と続きます。

この時代は、男性社会であり、その社会において女性は、今だ「家の跡取りを生む機能」とのみ見なされていました。らいてうさんは女性には、「おんな」という「奴隷的生活」しかないことを悟り、「女性も自我をもった一個の独立した人間である」ことを主張し、女性の復権の願いを叫んだのです。

そして、１９２０年11月に「新しいおんな」新婦人協会を市川房枝らと共に設立、しかし、内部の意見のくいちがいで２年（１９２２年）で解散していています。

その後、らいてうさんは「母性保護」「婦人運動」「婦人参政権」「反戦平和」など様々な運動を行い、１９５３年には「日本婦人団体連合会」が結成され、そのときの会長をらいてうさんが受けておられます。76歳でした。

１９６２年に創立された新日本婦人の会はこの日本婦人団体連合会とちがう名前をつけたいと相談され、「の」を入れたらどうか、ということで新しい婦人の会「新日本婦人の会」と名付けられました。それが今の新婦人です。

敗戦後の新憲法には「恒久平和」が謳われています。しかし、らいてうさんは核戦争の危険をひしひしと感じ新婦人の５つの目的を作られました。

「核戦争の危険から女性と子どもの生命を守る」「憲法改悪に反対、軍事主義復活を阻止」「生活の向上・女性の権利・子どものしあわせのために力を合わせる」「日本の独立と民主主義、女性の解放をかちとる」「世界の女性と手をつなぎ、永遠の平和をうちたてる」です。

私たちはこの５つの目的にそって60年間の先人たちの意思を受け継ぎがんばっていきたいと思います。

今後、女性の願いで声をあげ行動し「あたりまえ」「新しい常識」カルト政治がはばんでいる平和、ジェンダー平等、生きづらい社会を変え、次の「あたりまえ」をみなさんとともに作っていきたいと思います。

延長保育・学童保育・子育て支援実現の運動と女性議員誕生の力

峰山町　昭和25（1950）年生
吉田　早由美

京都府北部で初めて日本共産党の女性議員が誕生したのは、1975年でした。60歳で教員を退職し、立候補を決意したのが塩谷さとしさんでした。塩谷さんは自らの経験を活かして、働く母親の問題を議会へ持ち込みました。

今ではあたり前の延長保育や学童保育をお母さんといっしょに運動を広げ、自主運営で実施し、町での実施を求めて奮闘されていました。

当時、私は京都市内で保育士として働いていました。その保育園は京都市内で始めて延長保育を実施し、働く母親を支援する先進的な保育園でした。1977年、夫の故郷峰山に帰らなければならなかったとき、園長は「京都北部の保育園はお迎えが4時ごろで、働くお母さんたちが困っている。市内で培った経験を活かして、母親支援の保育を実現するためにがんばってほしい」と背中を押してくれました。残念ながら、峰山で保育士になることはできませんでしたが、塩谷さんの援助をもらいながら、お母さんたちと自主延長保育と学童保育を運営する運動を取り組みました。

1991年2月、16年間勤めた塩谷さんのあとを次いで、私と真下房枝さんが議員になりました。子育てまっただ中だった2人だったので、延長保育や学童保育の公営化、障害のある子どもたちの療育教室支援、通学路の改善、自校炊飯給食の拡充、途中ヶ丘公園に子どもの遊具の設置など、保護者や先生たちと力をあわせて議会に持ち込んだことで、さまざまな要求を実現することができました。峰山町での経験から、丹後6町（峰山町・大宮町・網野町・弥栄町・丹後町・久美浜町）全てに女性議員をつくろうと女性後援会で話し合い、一斉地方選挙で弥栄町の平林智江美さん、丹後町の下岡久美子さんが決意し、当選しました。2人とも子育てをしながら、身近な要求の実現のため大奮闘！　峰山町で1993年に実現した2歳までの子どもの医療費無料化を弥栄町や丹後町でも実現させ、女性の身近な要求を次々と実現させていきました。下岡さんは議員在任中に娘を出産し、苦労を重ねながらも議会史上初めて産休を認めさせたことが印象に残っています。今では国会議員でも出産し産休をとるのがあたりまえになりつつありますが、当時は勇気のいる事でした。

その後、合併で京丹後市となり、女性議員は2人になりましたが、先駆的な活動はしっかりと京丹後市に引き継がれています。

峰山町の自主延長保育は、塩谷議員の奮闘で1974年にお母さん達がお金を出し合ってスタートしました。峰山保育所の一角を借りて、1992年4月に町として実施されるまで自主運営されました。町からの補助金もありませんでしたが、多くの子ども達が通い、お母さん達を励ます役割を果たせたのは、塩谷議員が粘り強く議会で取りあげたことで施設提供などを勝ち取ったからだと思います。

学童保育は、延長保育を卒園したお母さんたちの切実な願いの中で、自主学童保育が1983年にスタートしました。わが家の長男もその一人でした。当初4人のお母さんが集まり、話し合いを重ね、町にも要望しましたが答えはノーでした。小学校の入学式が迫る中、親が交代で見守り、震災記念館を短期間借りることでスタートしました。そんな苦労を知った塩谷さんの知人であった当時の乳児院園長、櫛田邦子さんが乳児院の一室を提供してくださり、指導員も見つかって本格的なスタートをすることができました。

京都新聞に「北丹初の学童保育実施」の記事が掲載されたことをみんなで喜んだのを、昨日のことのように思い出します。その後、人数も増え、何度も町と交渉を続け、旧峰山保育所の柔道場の一角、旧吉原小学校倉庫の一室と移りながら、1992年には「学童保育を育てる会」から出された「学童保育の充実、財政補助に関する請願」が議会で採択され、1993年に旧吉原小学校倉庫の改修費と年間3万円の補助が実現しました。その後、個人宅での自主運営の学童保育を経て、合併と共に市による運営が実現しました。

京丹後市内にとどまらず、北部一円から利用されている「途中ヶ丘公園」の遊具も、保育園や幼稚園の先生と相談して議会で質問し、当初駐車場になる予定だった場所を子ども達の遊具設置に変更させ、先生達と共に遊具の選択もすることができました。

丹後町　屏風岩

母親大会のあゆみ

和暦	西暦	母親大会のまとめから
昭和39年	1964	第1回丹後母親大会、「私たちの暮らしを考えよう」林直也氏300人、各町代表は物資販売、呼びかけに日夜奮闘。事務局メンバー（石井智恵子、塩谷さと志、由良操、平野君枝、高橋美智子、三浦郁子）
昭和40年	1965	第2回「婦人とは何をどうすることか」貞広太郎氏330人、（要求が出始める婦人の悩み）
昭和41年	1966	第3回「婦人の果たす役割」井上たか子氏380人（各町の小集会が盛んになり、要求が出る）
昭和42年	1967	第4回「この頃の情勢について」野中一也氏450人（保育所新設運動が高まる。峰山・網野・弥栄）
昭和43年	1968	第5回「知事講演」蜷川虎三氏900名（各町からの知事交渉の場が設けられ、要求が出される。網野町島津舗装運動）
昭和44年	1969	第6回「今日の教育について」杉本源一氏530人（入院助産制度の拡充、峰山、梅田助産院開設、網野・浅茂川保育所新設運動）
昭和45年	1970	第7回「母親は今、何をなすべきか」梅垣正二氏385人（浅茂川保育所完成、網野町水道水運動が始まる）
昭和46年	1971	第8回「今後の教育をどうすすめるか」奥田修三氏489名（網野町上下水道浄化施設完成、峰山乳児保育所設立運動）
昭和47年	1972	第9回「今の教育はどうなっているのだろうか」藤原富造氏514名（峰山保育所延長保育の交渉、峰山・乳児保育所運動）
昭和48年	1973	第10回「値上がりする物価問題」坂本武人氏800人（各地で小集会）
昭和49年	1974	第11回「教育を国はどう考えているか」早乙女勝元氏100人
昭和50年	1975	第12回「婦人の生きがい、すすみかた」西口克己氏620人（弥栄・芋野、吉沢に保育所をつくる会、峰山町委託保育所設立、久美浜・婦人集会盛んになる）
昭和51年	1976	第13回「私のくらし・公害を考える」塚原恒雄氏570人（弥栄・吉野保育所完成、各町、空気汚染・食生活・公害の学習が盛んになる）

昭和52年	1977	第14回「婦人の健康問題」大塚いずみ氏500人（久美浜原発反対運動がもり上がる。二酸化窒素簡易測定始まる。母親物資・ジュース、シャンプー・粉せっけんなど広める。峰山・青少年非行防止・環境浄化の会発足）
昭和53年	1978	第15回「子供を守る運動とくらし問題」西辻淳氏550名（丹後・大宮町でも無公害の洗剤運動が）
昭和54年	1979	第16回「国際児童年と母親の役割」関谷美奈子氏600人（大宮・母連ニュースの発行）
昭和55年	1980	第17回「子どもの心と身体の発達、母親の役割」藤原義隆氏650人（小集会に学習的要素が加わる。1会場70人の集会）
昭和56年	1981	第18回「今を生きる」草川八重子氏700人（丹後・宇川、小学校跡地に保育所新設）
昭和57年	1982	第19回「婦人は立ち上がる」西垣昭子氏650人（憲法を守る運動が大会の中心目的・峰山・「非核地域宣言」を求める請願4419人の署名、町議会審議未了）
昭和58年	1983	第20回「子育て」田中恒子氏600人（地域ごとに、教育を守る運動が広がる6町41会場1132人参加。躾、おやつ、添加物、子どもの非行など）
昭和62年	1987	第24回「くらしに富と豊かさを、そして今みつめよう、わたしたちのくらし」水津雄三氏（久美浜母連・原発反対陳情書と署名、町長へ提出）
平成9年	1997	第34回ひとり芝居「チョゴリを着た被爆者」新屋英子氏（医療保険制度の改悪に反対、子どもの瞳が輝く学校をつくりましょう）
平成10年	1998	第35回「いのちを大切にする親と子の育ちあい」中井和夫氏（教育アンケート・教組、子供の瞳が輝く学校をつくる。私たちの要求調査、平和・環境・権利・福祉・教育・くらし）
平成11年	1999	第36回「21世紀を平和な日本に」安西育郎氏（要求調査、久美浜原発、最新情報、安心できる”介護保険制度”の確立を）
平成12年	2000	第37回「今なぜ少年犯罪が多発するのか」秋葉英則氏（講演ビデオ各町1本準備・貸出用、環境汚染から地球を守り、丹後の美しい自然を子どもたちへ）

平成13年	2001	第38回「現代からみる子どもたち―今だからこそ子どもとともに―」倉本頼一氏（歴史をねじ曲げ、侵略戦争を美化する教科書は子どもたちに渡したくない。危険な原発いらないの運動を大きくしていきましょう）
平成14年	2002	第39回「命・平和の尊さ―母親として人間として―」川田悦子氏（丹後6町を合併するか、しないか（合併の是非）は住民総意で。丹後6町合併についての申し入れ書を各町長及び合併協議会委員へ郵送）
平成15年	2003	第40回「楽しく、心を育てる食事を考えてみませんか」金井恵子氏（6町の町がなくなる。合併問題は住民参加の"住民投票で"決めることを求める）
平成16年	2004	第41回「憲法第9条を守ろう」岩佐英夫氏（自衛隊にイラク派兵と呼応するかのように、教育基本法「改正」への動き、丹後6町が合併し、京丹後市となる）
平成18年	2006	第43回「教育基本法を学ぼう」出口治男氏（京都母連事務局長の衣笠洋子さん知事候補となる。久美浜原発建設に終止符。久美浜母連の粘り強い取り組みがあったからこそ）
平成19年	2007	第44回「私たちのくらしと憲法」小林務氏（憲法・教育を守る運動、全国で広がる。京丹後市・子どもの医療費中学校まで無料化）
平成20年	2008	第45回「安心してお医者さんにかかりたい」塩見正氏（長びく不況で京丹後で自殺者が相次ぎ、深刻化。学校や保育所の統廃合が進められようとしている）
平成21年	2009	第46回「"ふりそでの少女"の願い」伊達順子氏（福留志なさんと「ふりそでの少女」の願いを語り継ぐ。戦争はあかん！平和が一番！学校再配置・与謝の海病院の脳神経外科再開署名運動が広がる）
平成22年	2010	第47回「日本の平和は"安保"で守られている？」田中三郎氏（ニューヨークで行われたNPT再検討会議に、丹後から2名参加。学校再配置計画案が8月臨時市議会に提出される）
平成23年	2011	第48回「どうする原発・放射能～正しく知って、正しく怖がり、正しく対処しよう～」市川章人氏（3・11福島原発で4基同時に空前の事故発生。原発事故が起きれば、放射能汚染を抑えることはできず、大災害をもたらす）

平成24年	2012	第49回「心が元気になる話、パートⅡ」西邑章氏（福島郡山市から自主避難されている橋本さんの手記が紹介。署名運動と議会陳情で下水道料金値上げストップを）
平成25年	2013	第50回「丹後母親運動をふりかえって」三浦郁子氏（50回記念として映画「ひまわり」2回上映。米軍基地Xバンドレーダーを宇川地区に建設しようとしているが、京都に・日本のどこにも米軍基地はいらない）
平成26年	2014	第51回「伝えよう丹後の食、伝えたい”丹後のごっつおう”」高橋茂氏（京丹後の「食」を守っていくためには、豊かな自然安心して仕事のできる社会と平和が欠かせない。経ケ岬への危険な米軍専用レーダー基地設置に反対）
平成27年	2015	第52回「戦争する国づくりは許さない！憲法9条を世界の宝に」三上侑貴氏（戦争する国へと変える「戦争法案」は廃案に。次代を担う青年を戦争へ送るわけにはいかない。米軍基地撤去。憲法守れの声をあげましょう）
平成28年	2016	第53回「報道と政治」～今報道が危ない、真実を知ろう～西谷文和氏（戦争法が強行可決、戦争する国づくりは許さない。報道は「事実をまげないで知らせる」「政治的に公平であること」。「戦争はウソで始まる」）
平成29年	2017	第54回「人間らしく健康で働き続ける社会へ」寺西笑子氏（過労死は人災、働き方を改善すれば必ず防ぐことができます。いのちより大切な仕事はありません。米軍Xバンドレーダー稼働して3年。米軍関係者が起こす交通事故多発）
平成30年	2018	第55回「心の姿勢も身体の姿勢も美しく健康に、目指せ姿勢美人！」山崎紳子氏（自分の心と身体の健康を考えてみましょう。ドクターヘリの運航に際し、レーダーを停波しなかったため救急搬送が遅れ命にかかわる問題が起きる）
平成31年	2019	第56回「私たちの食べ物大丈夫？正しく知って健康に」上原実氏（遺伝子を操作した食品、農薬づけの野菜などが出回ってきている。食品の安全性について学び知ること）
令和２年	2020以降	コロナ感染拡大のため、中止

第四章

平和への願い、基地反対の運動

丹後町　立岩

原爆を体験して

大宮町　昭和5（1930）年生
下工垣　弘和

私が生れたのが1930年（昭和5年）で、1931年に満州事変、1937年に支那事変が起きるという大変な時代でした。口大野尋常高等小学校に入学すると、教科書は「サイタサイタサクラガサイタ」で始まって「ススメススメヘイタイススメ」と、まさに日本が大東亜共栄圏構想を打ち立て覇権主義むき出しの時代でした。小学校3年生にもなると兵隊に召集された方を口大野の国鉄駅で日の丸の小旗を振って見送ったことが思い出されます。

小学校の校舎は2階建てで、3年生まで下の校舎で、4年生になると2階になり、なんとなく大きくなった感じがしました。

お国のためにと、戦争以外のことはこの世にないと教わった、そんな時代に育ちました。

素足にわらぞうりで学校に通いました。「右向け右」「左向け左」「まわれ右」と号令をかけられ、すべて兵隊さんと一緒でした。

校門を入ったところに奉安殿という天皇陛下の写真が入った建物がありました。その前を通るときは頭を下げ敬礼をして通ったものです。

私の家は豆腐屋で、両親は朝早いので何もかまってもらえません。男ばかり4人兄弟で私は末子だったので、兄によくしかられ頭突かれ、荒っぽいものだったので、女のきょうだいがほしいと思っていました。姉は丹後の震災で亡くなったそうです。

高等学校2年の12月にあの7つボタンにあこがれて……と言えばかっこいいですが、兵隊になれば衣食住なにも困らずに生活できると思い、2種予科練に志願して合格し、入隊しました。予科練の教育を受けたのは12月だけで、入隊した四国の松山航空隊は空襲で兵舎が焼失し、岡山の倉敷に転隊。松根割や開墾農地づくりをしていました。

そんなときに、広島に原子爆弾が投下されました。B29が一機、高度を飛行し原爆を投下したのをオート三輪で移動中に、目撃しました。

遠く離れたところで目撃したのですが、ピカッと光り、一瞬なにも見えなくなりました。山のむこうに何とも言えない気味の悪い入道雲が見えました。

一週間ほど前に同年兵と広島の川に遊びにいって記念写真を撮ったのですが、その写真が身変わりとなってくれたと思いました。原爆の後遺症がどんな形ででるかわからず、原爆にあったとは誰にも言えませんでした。

原爆反対の運動が起こり、青年団代表としてカンパで第1回大会から第10回京都大会まで毎回参加しました。原爆の当時の様子を記録したフィルムがあったので記念に買って帰り、口大野などでお寺から借りた映写機を使って報告集会を開くなど、一生懸命にやったものです。

当時は食管制度があり、米価値上げを求める集会にも仲間と参加したものです。そのことが京都農民組合に入るきっかけになりました。

以上のように、平和、農民運動をがんばってきました。今は歳をとり、子どもの世話になったり多くの人たちの援助を受けて暮らしています。

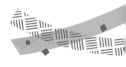

神風は吹かなかった

東　理代吉

昭和20年3月10日、東京都北多摩地方は午後5時から、今日も空襲警報が発令されていた。私は当時母校興亜通信工学院（現在の東海大学）の助教として、実験助手と舎監をしており、今夜は寮生の中から不寝番を立てるべきか、と考えながら舎監室から空を見上げると、早くも敵のB29の編隊が東方にむけて、悠々と飛行するのが見えた。気がついた寮の生徒達が騒がしく指をさす方向を見ると、また編隊のB29。さらにその後方にもB29の姿が見えてくるのではないか。

これは大変だ。今夜はいつでも逃げれるよう服を着て寝ること、1階・2階共不寝番を立てることを指示して、再び空を見上げていると、小さな日本の戦闘機が一機B29にまといついている。我々は「やってしまえ」と大声で声援を送った。パッと白い煙、すぐ真黒な煙を後尾より引きながらB29が落ちかけた。「わぁー、やった」「やった」と大歓声をあげて喜んでいると、小さな白煙の塊が落ちてゆく。「あれっ、戦闘機もやられた」と一瞬声もなくその方向を見守った。あれは体当りしたのだ。一身を捧げてよく戦ってくださったと心に祈りながら続々飛来するB29を見上げていた。やがて真暗な夜を迎えた。午後8時すぎても空襲警報解除にならず、ふと新宿の夜空を見ると異様に明るい。やがて火災による明るさだとわかり、これは大変だ、新宿は火の海だと想像し、暗澹たる気持ちで見守っていた。

着のみ着のまま午前2時まで起きていたが、畳の上に寝てしまった。午前6時起床すると、昨夜の空襲の話で持ちきりだった。やがて授業が始まり昼となった。私は学校から寮に帰るべく玄関へ出ると、校門から服はボロボロ、顔は真黒な乞食のような少年がヨロヨロと入ってきた。「だれだ」と尋ねると、その場でフラフラと倒れた。数名の先生と手当をすると、なんと本校の生徒で2年生は深川の電線工場へ学徒動員で行っており、昨夜の空襲で全員焼け出され、ちりじりばらばらになり、彼は線路を歩き電車がくれば乗りつぎ、中央線は動いていたので学校へ帰ってきたと、あえぎあえぎ話した。新宿あたりとばかり思っていた火災は、東京の下町深川方面を絨毯爆撃をしたあの有名な東京大空襲で死者30万、下町一帯が焼野原と化した。学徒動員86名中9名、引率教師5名中2名しか生き残れなかった大惨事となり、授業どころではなく、すぐに救援隊を組織し、また生徒の親許へ通知などし、戦場のようになった。東京都とはいえ東京農大や府中刑務所あとは田園で米軍は間違えてもここは爆撃せんと、たかをくくっていたが、正に戦争の真っ直中にまきこまれた。列車に乗るのもままならぬ中で、たどりついた父兄の嘆き、同僚の先生の奥さんの号泣、その中でも毎夜のB29の爆撃、これで勝てるか、いや必ず神風が吹いてくれるだろう、それまで歯をくいしばって待つのだと自分に言いきかせていた。それから10日の後、私は管制下の東京駅発の夜行列車で間人へ入営のため帰った。

4月10日、新潟県高田の航空通借教育隊へ入営するため9日朝、板平さんの横の広場で親戚や近所の人の見送りをうけて間人バスで出発した。別な隊へ入る吉栄の博さんと二人だけだった。出征兵士を全町民こぞって峠裏まで盛大な見送りした行列はこの頃はなく、さびしい出発だった。

入隊後の教育は、空襲に備えての防空壕堀

りとタコ壺掘りが日課だった。

そして、8月15日を迎えた。いつものように壕を掘っていると11時30分、一種軍装で本部前に整列と号令がかかり、ラジオで重大発表があるから聞けと伝達された。天皇陛下の話だとはわかったが、雑音も多く「これは本土決戦をやるから一層奮斗努力せよ」と言うことだろうと隣の兵と話していたら、数分おいて隊長が「ただいま、陛下は戦は中止する、そのまま待機せよと言われた。上官の指揮のもと営舎で待機せよ」と言われ、びっくり仰天した。

それからは兵器をグランドに隠し、またそれを掘り出したり、毛布など自分に支給されているものを持って帰れと命令があり、その荷造りをしたり、いやそれでは吹田駅で地方人に竹槍で殺されると話があり中止したりの、テンヤワンヤであった。

やがて9月10日、間人に帰った。内地にいたとは言え、いつ死ぬかわからない戦争とはなんだったか。どこをむいても大事な男を戦死させた嘆きは、大きな声でぶちまけることができないだけに深刻であった。子どもの時から軍国主義の教育で日本の勝利を信じきって成長した私は大きな衝撃を受けた。

終戦となってから、ラジオや新聞で「戦争の真相はこうだ」と繰り返し報道され、間人小学校で盛んに集会があり、「戦争はなぜおきたか」「なぜ神風が吹かず戦争に負けたのか」が話し合われた。そこで勉強したことは、戦争中に「狭い日本では9000万の国民は食べて行けない。だから中国に王道楽土を築いてやるのだ。そこに日本人が行けば、日本も住み良く、その土地も良くなる」と宣伝されたが、それは不況にあえぐ国民の眼をそらすためであり、各国から平和を乱すものだと批難され、世界から孤立する侵略戦争をしていたことがわかった。

「日本は神国であり八紘一宇の精神でアジアを指導し、新しい秩序を作る以外に解決はない。平和的に解決を求める考えは敗北者の詭弁だ」と批難され、治安維持法で国民の意志は圧し殺され、ずるずると戦争へ引きずりこまれた。

これらをやりやすくするため、天皇陛下の命令はすべてに優先する政治の仕組みを国民に押しつけ、軍部の独走に引きずりまわされたこの戦争には、最初から活路はなく、つまりバクチであった。

この3点が次第に判明してきた。そこで、塗炭の苦しみの中で亡くなられた霊に報い、二度とこのような戦争を繰り返さないため、国民の立場で、何が正しいかをしっかり考え、勇気を持って国民の暮らしと平和を守る政治の推進こそ、生き残った者の最大の任務だと痛感した。

このことは多くの人の結論であり、世界で初めての平和憲法の制定へと発展した。

私は以後、一貫して「平和と国民本位の政治の推進に生涯をかけて生きていこう」と心に誓った。

国民の生活が苦しい時には、かならずキナくさい話が多い。軍事費が突出し福祉が切り捨てられる今こそ、いかなることがあっても戦前に戻ることのないように、みんなで力を合わせなければならない。

故倉岡愛穂の生き様に学ぶ

松見　禎紀

京丹後市丹後町、日本海にそそぐ宇川の上流の山奥深く、現在戸数17戸の倉内地区があります。この地区の入口の小高い山地にある墓地に、１９３７年（昭和12年）、神戸市御影署で絞殺された教師倉岡《くらおか》愛穂《よしほ》の小さな墓石が立っています。この墓前で２００９年から毎年、彼の命日である４月９日前後に墓前祭が続けられています。

倉岡愛穂の生涯を述べるにあたり、最初に略歴を以下の簡単な年表で見ておきます。（伴和夫　論文「倉岡愛穂の疾風怒涛時代」による）

１８９５年（明治28）２月９日、京都府竹野郡上宇川村字内農戸主九左衛門三男に生まれる

１９１６年（大正５）京都師範一部卒業

１９１６～22年（大正５～11）
　竹野郡中浜小学校訓導

１９２２年（大正11）
　竹野郡間人《たいざ》小学校訓導

１９２３年（大正12）
　竹野郡虎杖《いたどり》小学校校長

１９２４年～34年（大正13～昭９）
　神戸市御蔵《みくら》小学校訓導

１９３４～37（昭和９～12）
　神戸市二葉小学校訓導

１９３６年（昭和11）12月25日、
　思想犯嫌疑で御影署に検挙さる

１９３７年（昭和12）４月９日、

検挙以来、106日目に絞殺さる

倉岡先生が、突然検挙されたのはなぜか。

当時わが国は、1929年からアメリカに始まる「世界恐慌」の影響から経済不安が深刻化したため、政府は国内の矛盾と不満を対外侵略に転嫁し、1931年満州事変を引き起こし、翌年3月には傀儡国家満州国を建国するなど侵略戦争と軍国主義を推し進めていました。当然、国内では戦時教育体制が広がる中、先生は、1930年に始まる新興教育運動や、非合法の「日本教育労働者組合」の兵庫県支部のリーダーであられたため、あの稀代の悪法「治安維持法」により弾圧され検挙されたのです。

次に、倉岡愛穂先生が現在も丹後の教職員や民主運動家をはじめ地域の各層の皆さんから慕われ追悼されているのはなぜか。それは、生前の先生の誠実な生き様への敬慕の思いからです。私はその中から次の3点を挙げさせていただきます。

第一は「一人一人の子どもの人格を尊重し、教育科学に立脚した教育を実践した優れた教師としての生き様」であります。戦前の日本の義務教育は、教育勅語を基調とする超国家主義的教育であり、天皇制軍国主義教育でした。その時代に先生は「教育の本質は人格の建設である」とずばり喝破しておられます。その理念の上に「教育の目的は、社会的価値ある人格の建設」と定義されました。この理念は戦後、新憲法の精神の根本を支えた教育基本法の第一条（教育の目的）の最初に「教育は人格の完成をめざし」と表されています。そして2006年教育基本法が改悪された際にも削除されることなく、日本の教育の根本理念となっています。

第二は「常に自己の歩む道を深く思索するとともに、子どもや周りの人々には温かく優しい生き様」であります。その姿は、先生が未決のままで獄死されたのちも、警察が家族に「葬式をだすな」「死亡通知をするな」と禁止されたことに対し、御兄弟が関係者に配られた「経歴書」なるものからも明らかです。そこには「少時カラ性温厚、学ヲ好ミ、父ニ事ヘテ、孝養　克ク力トメ、兄弟友人ト交リテハ誠ヲ尽シ、徳行　範ヲ自ラ垂レ、時ニ人愛慕スルトコロデアッタ」と記されています。

第三に「自己の信念を貫き、不当な権力に決して屈しない強靱な生き様」であります。先に述べましたように先生は、１９３６年12月25日突如、兵庫県御影警察署に検挙され、翌年４月９日、若干42歳、未決のまま獄死されました。その間、獄中では１００日を超えて、変節を求める拷問が繰り返されたに違いありません。駆けつけた家族が調べると死後10時間もたっているのに「首にはしめられたあとが残っていた」ということです。先生は、権力の弾圧にも自己の信念を貫く不屈の精神で立ち向かわれた故に、絞殺されたと思われます。私たちは、このような当時の反動権力に深い憤りを覚えます。

安倍反動政権の下で、憲法に反する「戦争法」が成立、施行され、あまつさえ「特定秘密保護法」「破壊活動防止法」までもが、息を吹き返しています。さらに加えて、現代の「治安維持法」ともいうべき「共謀罪」法が、国民多数の危惧と反対の声を無視して、制定され、施行されています。今再び、あのような暗黒の時代を、よみがえらせてはならないと強く決意するものです。

倉岡愛穂墓前祭
（丹後町鞍内地区）

治安維持法に倒れた先生を思いつつ

丹後町　昭和26（1951）年生
倉岡　和美

昭和初頭は天皇制の時代。個人の命より国益が優先され、政府にとって都合の悪い考えを持つ者は排除されました。そのための法律が治安維持法です。１９２５年に公布され１９２８年にはこの法に触れた者の最高刑を死刑にすると改悪されました。以来特攻警察は民主的な思想を持つ多くの人達を逮捕監禁し、苛烈な拷問を加えました。そして93人が拷問の犠牲になり、命を落としました。戦前の刑法でも拷問は禁止されていたにもかかわらず、多くの人がこの治安維持法により殺されたのです。

丹後にも治安維持法の犠牲者があります。その中の１人に倉岡愛穂がいました。倉岡愛穂は明治28年2月9日、竹野郡上宇川村（現在の京丹後市丹後町）鞍内に生まれました。尋常小学、中学を経て京都師範学校を卒業し訓導（現在の教員）になりました。教職に就いてから十数年後虎杖小学校の校長をしていましたが、本人の出張中、学校が火事になり全焼してしまいました。

その責任をとって辞職。その後、神戸に行き再び小学校の教師になりました。自由教育志向であった愛穂はそこで志を同じくする人達と出会い、新興教育という運動に取り組みました。グループは共産主義宣言や資本論の学習にも取り組み、子どもを大切にする教育を推進するべくがんばっていたのです。

今なら普通の教育、まじめな基礎学力充実のための教育でした。が、当時の世の中では赤化教員として目をつけられ、校長や教頭から常に直接監視されていたそうです。けれど愛穂の教育はしっかり成果を上げていました。

　同じグループで活動されていた窪田さんの記には、「彼の授業はおどろくほど円熟したもので、子ども達はいつも静かに授業に集中しており、校内一斉テストでは倉岡学級はいつも一番成績が良かった」とあります。

　しかしこの教育運動は当時のイタリアやドイツと軍事同盟を結び軍事強化にひた進む情勢の中で、厳しい弾圧を受ける対象でした。そして、愛穂は１９３６年12月25日に「思想犯嫌疑」で検挙され御影署に連行されました。以降１０６日間拷問され、絞殺され獄死しました。遺体を引き取るよう連絡を受けて御影署に行った愛穂の兄と弟に、特攻は理不尽にも「医者に診せるな、葬儀をするな、死亡通知も出すな」と厳命しました。これに怒った兄弟２人は死の知らせとはせず、あいさつ状、としてその無念を周囲に知らせました。遺体は倉岡家の墓地に眠っています。

　平和・人権を大切にしたために殺されるなど、あってはならないことです。戦後日本は「再び戦争のあやまちを繰り返してはならない」という精神を大切に平和憲法のもと、政治が行われてきた……はずなのですが。２０１７年６月の「テロ等組織犯罪準備罪」（共謀罪）をはじめ次々と戦争法が作られてきました。最近では「土地利用法」もあります。これは戦前の治安維持法の復活ともいうべき重大な憲法違反の法律です。戦争をしない国が戦争をする国へと姿を変えていくことに大きな不安を感じます。愛穂達先人が命を奪われた戦前の治安維持法時代に逆戻りをさせてはいけない。それが今生きている私達の大切な使命だと思うのです。

　平和憲法を守りぬくことを決意します。

中国に残された人たち

丹後町　昭和4（1929）年生
岡田　ふさ子

中国残留孤児の人達のことが報じられるのは少なくなったが、私にとっては消えることのない重いことである。

父は当時の日本政府の国策を真正面から受け止め、昭和14年（と思う）開拓団に加わり大陸での農業を夢みて渡満した。満州は若い時の働き場所であるとも言っていたそうだ。

2年くらいたって家族（母・叔父・2歳の妹）も行くことになり、峰山駅まで見送った。思い出したくないくらい切ないものだった。祖母は当時50歳くらいかと思うが孫3人と留守を任かされた。その後私は進路を決めることになり親戚を頼って上京し、間もなく寮へ入った。物不足は深刻で中でも衣料切符の制度は思い出深い。祖母は50点（1年の1人分）でオーバーを買ってくれたことだ。また、ハツタイ、炒り豆といったものも何度か送ってもらい同室の友と食べた。郵便局までは4キロくらいもある。その祖母が昭和18年8月に京大病院で手術を受けることになり、妹たちは親戚宅から通学していたそうだ。手術に立ち合うため、両親・妹・その年の1月生まれの弟が帰国した。後に母の話によると船中は地獄そのもの、食べるものはもちろんなく、母乳は出ない、船中は蒸し風呂状態の中で亡くなった人は「水葬」ときこえはよいが海へ。

父は手術の無事を見届けるとすぐ一人で帰っていった。母はその折も、その後も帰国を懇願したが聞く耳持たずだったそうだ。私には卒業したら来るように、日本人学校での職もあるとも言って、旅費であろうか大金をもらった。

戦況は悪化していたのであろう。市中には学徒兵として動員される学生が、自転車で走っている姿をよく見掛けるようになっていた。寄せ書きの日の丸の旗を肩から斜めにかけていたのですぐわかった。私たちも学徒動員のバッチをつけて兵器づくりの毎日となった。ある夜木造の寮が揺れ、轟音のあとサイレンが鳴る中を防空壕へ走った。京都にも爆弾が落とされたらしい、とだけで、何も知らされなかった。多分引率の先生も同じだったろう。大阪大空襲の夜は校庭の防空壕の中で一夜を過ごした。時刻は8時をすぎ夜明けの時刻は過ぎているのに、京都の街は黄色い空と飛んできた火の粉で地面はおおわれていた。

昭和20年3月31日、私たちは歌舞練場に集められ卒業ということになった。2日がかりで切符を求め、帰郷した。

それからは、祖母、母とみんなで渡満のことばかり考え、父からの連絡を待つ日々であった。戦況は四面楚歌の状況であることなどまったく知る由もなかった。北満の地では言うまでもないことだったのであろう。

突然の終戦となってからは、家の空気は一気に重苦しくなった。妹たちが噂ばなしを持ち帰る中、父の置かれた状況を感じ取っていった。

満州はソ連国境から何の前ぶれもなく一気に進入してきた軍隊によって、戦場と化したそうだ。子ども、女性、体力のない人は置いていかれたと。若くはなかった父に明るい状況は描けない。私自身の運命は父と共にあったはずである。偶然が重なりその後の人生が与えられた。叔父は現地召集された九州から翌年に無事帰還することができた。父の戸籍簿には翌年4月、収容所にて死亡の記録のあることをずっと後になって知った。本当だろうか、父も内地の私たち以上に、私の渡満を待ち続けていたに違いない。運が強ければ残留孤児となって肉親を探していたのだろうか、齢を重ねて少し冷静に父のことが考えられるようになったのかなと思う。

今、ロシアがウクライナに侵略戦争をおこしている。いかなる戦争もゆるされるものではない。

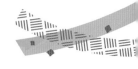

「平和の鐘」の取り組み

峰山町　昭和30（1955）年生
尾崎　敏

「2021年1月12日、核兵器禁止条約が発効し、今年6月21日ウィーンで第一回締約国会議がひらかれ、『人類の存亡に深刻な影響を与える』ものと強調する『ウィーン宣言』と『核兵器なき世界』の実現をめざし『行動計画』が採択されました。現在65カ国が批准しています。

広島と長崎に原爆が投下されてから77年、多くの人々の命を奪い、世界各地で放射能の犠牲を生み、人類の存続さえ脅かしてきた核兵器、その使用、威嚇、開発、実験、製造、移譲が全て違法とされる新しい時代への第一歩です。

前日の20日、ウィーンで開かれた『核兵器の人道的影響に関する国際会議』では『ロシアのウクライナ侵略は、核兵器が戦争を防ぐのではなく、むしろ核保有国が戦争を始めるよう勢いづかせるという事実を浮き彫りにしている。核兵器使用の威嚇は、今日いかに現実的な危機になっているかを示し、核抑止論に基づく安全保障の脆弱さを明確に表している』と指摘しました。連日のウクライナの惨状のニュースには心が痛みます。戦争は絶対にあってはならない。そして『力が正義』の時代に戻してはならない、と強く思います。（中略）

日本でも今、唯一の被爆国として、核を持つ国に忖度し核兵器の傘に頼るのではなく、核兵器を持つアジアの国々にも核兵器の廃絶を堂々と訴えられる国となるよう、たくさんの人たちが行動を起こしています。
つきましては、今年も平和への願いを込め、左の日時に貴寺院の梵鐘を鳴らしていただきたくお願いをする次第でございます。今年で28年目になりました。この時刻に打ち鳴らされる鐘の響きは、黙禱をなさっている方々はもとより、鐘の音を聞かれた方々に、原爆や戦争に思いをいたし、平和への願いを通い合わせることになると私たちは信じています。どうぞよろしくお願いいたします。

平和を考える丹後の会　代表　岩崎　晃」

これは、8月6日・8月9日・8月15日と丹後の梵鐘ある寺へ「平和の鐘」を鳴らしていただく取り組みの要請文です。２０２２年には、梵鐘のあるお寺中心に34カ寺が協力していただき、３日間で延べ２９３人が参加されました。中には「私は歩くことができないが来ていただいたら協力させていただく」「帰省中のお孫さんも参加していただいた」「お寺で鐘をついた後、平地地蔵さんの前で絵本の読み聞かせをしていただいた」などの声がありました。また、新たに本年４カ寺でこの取り組みに参加していただくなど、昨今、丹後の「平和を願う」大きな取り組みとなっています。

平和のために

丹後町　昭和10（1935）年生
坪倉　隆枝

平和のための戦争展が弥栄地域公民館で行われました。

私たちのグループは「丹後町詩の朗読」です。朗読する題材の一つに与謝野晶子の「君死にたまふことなかれ」があります。

高校のとき、この詩に魅せられて繰り返し繰り返し暗唱したときのことを思い起こします。

私たちのグループは6人で、朗読する一人ひとりの美しい声は会場のすみずみまでも響き渡り、いつまでも人の心に余韻として残ったように思いました。帰り、玄関で「朗読よかったわよ」と心が温まる言葉をかけていただきました。

私は自分にできる範囲でボランティア活動をしています。それが良いのか悪いのかわかりませんが、その会のよさを知ることも大切です。一人ひとりの人生は出会いの数だけ豊かになると言います。聞くこと、学ぶことの楽しさ。見ること、知ることの喜びは、私たちにとって貴重な体験であり夢も広がります。一日一日を大切にし、感動と喜びを糧として今年もすばらしい年でありたいと願っています。

ああ、弟よ、君を泣く、
君死にたまふことなかれ。
末に生れし君なれば
親のなさけは勝りしも、
親は刃をにぎらせて
人を殺せと教へしや、
人を殺して死ねよとて
廿四までを育てしや。

宇川の米軍基地

丹後町　昭和32（1957）年生
永井　友昭

2013年2月22日、安倍・オバマ会談の席で在日米陸軍の2つ目のXバンドレーダー基地を経ヶ岬へという話が出た。事はここから始まる。

基地のターゲットとされた経ヶ岬のある宇川の地は、京丹後市の北東端に位置し14の地区に現在約1100名が居住する。

夏場は観光客で溢れるものの、高齢化率は45%を超し多くの地区が限界集落状態である。その海岸線に地元の者が「文殊さん」と呼んで大切にする古い寺院がある。京都府はここを「レッドデータブック」に登録しその保護をしてきた。ここが、その米軍基地の舞台である。

この「文殊さん」の西側に1958年より航空自衛隊の基地が置かれてきたが、その逆サイドの東側と崖の先端部分に米軍のXバンドレーダー基地をという話が地元民に知らされたのは2013年2月24日の京都新聞であった。

住民にとっては突然に降って湧いた話、誰一人として求めもしなかった米軍基地がやってくるという。私はこの話を最初に聞いた時、「ヤバい!」と思った。原発などの立地は、地元の合意がなければできないが、在日米軍基地は日米地位協定という米主日従の不平等条約によって一方的に押し付けられるものだったからである。

事はその危惧の通りに展開した。

推進の主体は防衛省の出先の近畿中部防衛局、ここが中心となって「問題は何もない」という一方的な説明会を繰り返した。

私たちは、まず地元の宇川で仲間を集め４月に「米軍基地建設を憂う宇川有志の会」（通称「憂う会」）を立ち上げ、この問題は「宇川の未来にかかわる重大な問題だ」というビラを発行して地域への呼びかけを始めた。さらには京丹後市の規模で民主団体や労組を中心とした「米軍基地建設反対丹後連絡会」（通称「丹後の会」）も5月にでき、情報を市内全域に知らせながら、様々な取り組みを展開することになった。

8月以降、中山市長は国策には協力をと言いだし、9月11日には「住民の安心・安全の確保」という条件の下で、京都府山田知事と同時に基地の受け容れを表明。10月より現地での土地の交渉が始まり、曲折を経て12月末には地権者との契約が揃った。

明けて２０１４年の1月には現地が立入禁止となり、5月27日の未明に突然の工事開始。景勝の地を重機によって破壊して基地が建設され、10月21日の未明にレーダー搬入、12月26日に本格稼働という経過をたどった。

私たちは連続したビラを発行して彼らの動きや問題点を住民、市民に伝えると共に、地元宇川で知事と市長に対する「米軍基地建設協力撤回を求める署名」を住民の過半数を集めて提出した。

さらに、工事が始まると事あるたびに現地での反対行動を行い、何度も大きな集会を開いて広く反対の意思を示した。10月4日に旧宇川中学校体育館で行われた「米軍基地反対府民大集会」は近畿一円から約１４００人が集まり、長大なデモの列に多くの住民が沿道から拍手を送るという感動的なイベントとなった。

このような中で米軍基地は建設された。

基地が動き出して、予想通りの問題が噴出した。発電機の騒音が激しく基地隣接地区の人達に健康被害の起きる問題が発生。また交通事故が頻発、軍属の車が人身事故を起こす事も累次に及んだ（現在90件以上）。日米地位協定による特権（日本の免許はいらない、違反・事故に行政罰なしなど）がそれらの事故多発の背景にあることは明白だ。２０１５

年暮れに網野町であった事故では、軍属の運転手が目撃証言を無視して自分の非を認めず、結局被害者泣き寝入りの示談となった。

また、自衛隊の基地も米軍基地建設を機に2015年より拡張工事が始まり、2018年に完成した。2018年4月からの米軍「二期工事」は2021年夏に完成。文殊さんは今や周囲358度を日米の基地に囲まれ、この地は日米合同の一大軍事拠点になってしまった。

最近の状況は、

①米軍関係の事故情報は当初全て報告の約束であったが、途中から一方的なルール変更がなされ、米軍からの自主的情報提供はないという状態が続いている。

②毎年、大規模な日米合同訓練が両基地で行われ、最近は空砲を使った銃撃戦訓練が日常化している。

③憲法違反の「土地規制法」が2022年9月に施行となり、経ヶ岬は「特別注視区域」とされる見通しである。日々住民と土地が監視される事態が予想されるが、国は説明会さえやろうとしない。

私は米軍基地の建設が始まって以来の8年半、毎日文殊さんにお参りし基地の今日を見つめ発信をしてきた。そんな中、縁を得て2020年4月の京丹後市議会議員選挙に立候補し、当選を果たした。地域の皆さんの複雑な思いがそのバックにはある。皆さんの安全安心、同時に地域の活性と自立、日々の課題は尽きない。

丹後町経ヶ岬
Xバンドレーダー基地

私にできることを！
ウクライナの平和を求めて

久美浜町　昭和34（1959）年生
橋本　まり子

2022年2月、ロシアによるウクライナへの軍事侵攻が開始され、凄惨な被害の状況が大きく報道されました。「20世紀は戦争の世紀」と言われますが、21世紀となって22年も経つというのに、シリアやミャンマー、アフガニスタン、イエメンやエチオピアなど、あまり日本のニュースでは報じられない紛争も、解決の糸口が見えない状況がつづいています。いまだ世界は「戦争の世紀」の中にいるようです。なぜ世界は、戦争を繰り返すのか？　答えがないままの21世紀に私たちは生きています。

私の家に国際交流の関係で、ウクライナ出身の青年が来たことがあります。

「幼いときチェルノブイリの原発事故の影響を避け、スウェーデンに家族で移り住み、その後カナダ国籍を取得し家族で住み、研究生活をしているが、多くの親戚や知り合いがウクライナにはいる」と聞いていました。

ウクライナの戦争が始まった時、真っ先に彼のことが気にかかりました。「彼の親戚の方は大丈夫か」と電話をかけ確かめました。「なんとか今は大丈夫だ」と聞き、ひと安心するも、今後の戦況如何で状況が変わることもあり、彼や彼の家族は心安まらないことだと想像しています。

京丹後市議会3月議会の冒頭で市長から「ロシアによるウクライナ侵攻を非難する決議」が出されました。議会としても同題の決議を全会一致であげました。そこで私はふと考えました。「議会では賛成するときは起立をすればいい。だけどこの決議の重みは単に起立して『私も賛成です』と意思表示するだけでよいのだろうか?」「私にできる何かを行動で表さないといけないのではないか」と思いました。家に帰り早速、ウクライナ国旗（上が青で、下が黄色）のプラスターを作り、夕方、小1時間スタンディングをすることに決めました。田舎の町ですので、「あの人何してるんだろ?」と奇異な目で見ていく方もおられましたが、手を振ったり、会釈をしてくれたりして応援の意思を表してくださる方も多く、まだ寒い中でしたが、用事がない限りほぼ毎日、立ちました。自分の中で戦争が終わるまで。と決めたのですが、いつまで続くのか?

とても大きな励みになるのが、スクールバスで下校中の中学生が窓を開けて大きく手を振ってくれること。だんだん運転手さんも手を上げて会釈してくださるようになり、勇気100倍！　時には遊びに来た外孫も一緒に立ってくれたりしました。子どもが立つと反応が全然違います。

それからもう一つ。地元の青年が手作りベニアのプラスターを持って応援に駆けつけてくれたことです。ほんとうにサプライズでした。私がいつもの場所に行くとすでに誰かが立っていました。「あれ?」と思ってよく見ると「NO WAR」と書いたプラスターを掲げ、衣装も黄色と青で揃えています。時には大きくプラスターを回したりするものですから、目立つ目立つ！　私のフェイスブックの発信を見て、その日のうちにプラスターをつくり、駆けつけてくれたと！　その後、何度も参加してくれています。自身のユーチューブにもアップされています。早速ウクライナに住む方から反応があったとのこと。京都民報の取材も受けました。

若い二人はこう言います。「難しい話じゃない。戦争はあかん！　だれも傷つけたり傷ついたりしてはいけない。LOVE and

PEACE、ただそれだけです」

ここに平和への問題解決の糸口があるのかな？　意外と身近なところに肝になる心があり、それが国民の声として大きく積み上がっていくことが大事なのかな？と思いながら、彼らとのスタンディングを続けました。

久美浜町国道にて宣伝活動

廃村と「穴地蔵さん」にかかわる思い出

弥栄町　昭和9（1934）年生
吉岡　泰治

1967年に吉津集落は全部離村となりました。1990年、離村から少し暮らしが安定したころ、町道の草刈りなどで顔を合わせた同郷の仲間から穴地蔵さんの祭りを再開したらどうかとの声があがりました。市道から200メートルほどの旧道の草木を刈って通行しやすくし、出身者らで昔を思い出す祭りを再開しました。今、市道は離村後も6キロに及び舗装されましたが、台風などで数回被災し通行できず、祭りもしばしばできないこともありました。令和2年7カ所近い復旧工事をおこなっていただき、前面開通しました。

平成28年には「穴地蔵」出現150年を記念して京丹後市文化財保存課から「穴地蔵出現由来縁起」、等楽寺住職山本正寛氏などのお話しにより翻訳、由来など正確に理解することができました。また、地元郷土史家の芦田行雄さんの耳にも入り「絵本」を出版される運びとなりました。網野Yさんはとりわけ地蔵さんに深く傾注され、夜にイカ釣り舟の漁火を灯して、吉津峠から眺めたり、川裾祭りに吉津峠から網野をサーチライト照射し、交信することもありました。

慶応年間の「穴地蔵出現」の祭りの日には、丹後地域は言うに及ばず、宮津や間人などの人たちも祭りにあやかって参詣され、お供えも頂いたことが記されています。この祭りは、毎年4月16日を中心におこない、過去には、遠く、京都市・京丹後一円の吉津出身者をはじめ、吉津にかかわりのある多くの方々を招へい、並びに、丹後弁の吉津の「地蔵さんの語り」も聞き、心経および延命地蔵さんのご詠歌を唱えこの日の喜びを分かち合いました。「ふるさと吉津」の記念碑、記念誌も発行、配布しました。

　戦後、約10軒の家があり50人ほどが暮らしていた吉津地区は、豪雪を機に今は、住居の跡は何もなく、地蔵堂と神社に続く石段が、かろうじて人々の暮らしがあったことを示しています。「昭和四十二年末離村」と記念碑には刻まれています。残念ながら今は、「穴地蔵まつり」はおこなわれていません。

『新兵衛じぞう』（あまのはしだて出版）

『小脇の子安地蔵さん』（あまのはしだて出版）

吉津の穴地蔵

丹後町　昭和5（1930）年生
東　世津子

むかし、むかーしのはなしです。網野の浅茂川の漁師が「ええ、凪だなぁー」と言って舟を漕いで漁にでていって、金剛童子の山が見えるあたりまでいくと、舟が動かんようになるだわ。不思議に思っておったら、次の日も、次の日も、どの舟も、どの舟も、動かんようになるでみんな困ってしまって相談しておったら、金剛童子の山の吉津あたりから「ピカッ」「ピカッ」と光るもんが見えてきただわ。

「さぁー吉津の山へ光るもんを退治に行こうー」ということになって朝早うに、一番鳥の鳴くのを合図に、大勢で出発して、ドットコ、ドットコ、たばこもせんと山へ着いたら、目もくらむような光るお地蔵さんが立っとるだわ。漁師らはびっくりして、へたり込んでしまった。けど「お地蔵さんには悪いけど、光が見えると、また漁ができんようになるで、土の中へ埋めさせてもらおう」と謝って思案の末、自分たちの着とった襦袢や着物を脱いでお地蔵さんに着せて穴へ埋めて、「許してくれぇなー」と拝んで帰ってきたのです。それからは浅茂川の漁師は魚がよう釣れるようになって大金持ちになったそうです。

それから何年も何十年もたって、みんながお地蔵さんを埋めた話を忘れたころ、吉津の村に悪い病（伝染病）が広がって、どの家も、どの家も、今日死ぬか？　明日死ぬか？　の病人がいっぱいになったのです。村の老人が拝み屋さんで拝んでもらうと、深い穴の中のお地蔵さんが「早よ、外へ出たい。出たい」と言っているとのことだったので、昔から「穴地蔵」という地名の土地があるので掘ってみようということになってどんどん掘っていったら、石のお地蔵さんがでてきたのです。村中で、きれいに洗って立派なほこらにまつったら、村の病人はだんだん元気になっていきました。今もお地蔵さんは、まつられています。

『吉津の穴地蔵』（あまのはしだて出版）

第五章

反原発と大型開発阻止の運動

峰山町磯砂山

久美浜原発計画とその撤廃を振り返る

丹後町　昭和32（1957）年生
永井　友昭

関西電力が、久美浜町に対し同町蒲井地区に原子力発電所を作りたいとしてその事前環境調査の申し入れをしたことが、1975年6月24日の町議会で明らかにされた。その計画の撤回要請を京丹後市長より受け、関電が原発計画完全中止を発表したのが2006年3月8日であった。この間なんと30年8ヶ月余。

この間に、原発立地に向けての大きな強い波が3度あった。第1波が、申し入れのあった75年から1981年の町長選挙までの約6年間。地元住民・漁業関係者・民主的諸団体などの強烈な反対運動とそれに対する推進側からの切り崩しがせめぎ合ったが、79年にアメリカのスリーマイル原発の事故もあって、町長選で一応の推進方向を確認してその動きは穏やかになった。

第2波は、83年ぐらいから89年にかけて。この時期は推進側からの水面下の切り崩しが着実に進んで町議会では保守系が完全多数派を占める中、大きな反対の声を抑えて事前環境調査の前段階にあたる地質調査が84年暮れより強行された。その結果が「適切」として、本式の事前環境調査へというところまで状況は進んだ。その時に起きたのが、86年4月26日のソ連チェルノブイリ原発の事故であった。この衝撃は強く、89年の町長選挙では保守派が勝ったものの推進の動きは止まることになった。

そして最後の強烈な第3波が96年から2003年であった。関電と町長・保守勢力による強烈な原発立地推進への動きが起こり、それに対して広範な反対運動が展開されその動きを抑えた8年間だった。私はこの最後の反対運動に関わりを持つことになった。

1991年頃からの原発推進休眠状態を一気に覚醒させ、3度目の大きな闘いが始まったのが1996年であった。95年の12月議会で保守系議員が「もうシブも抜けたのではないか」と片山町長に向けた質問に「来年は（原発を）一歩前進させてやりたい」という発言が飛び出したのである。

それを受けて96年には俄然強い推進の動きが起こった。3月に町の主催で俳優高橋英樹の講演と抱き合わせの原発学習会が行われ、5月20日には久美浜町商工会がその理事20数名の連名で「久美浜原発立地促進の請願」を識会に提出したのである。商工会という地元産業界の中核が組織をあげて原発請願をしたということで強い危機感を感じた我々反対派は、対抗して久美浜地労協と久美浜原発反対連絡会の連名で「事前環境調査返上の請願」を6月17日に議会に提出した。ここからが怒濤の闘いの始まりとなった。

当時私は久美浜高校に勤務しており、府高久美高分会の書記長で、熊野郡地労協の役もしていた。久美浜地労協は高校、小中学校、町職、農協の4単組で構成されそれなりの力を持ち、これと共産党などの革新勢力が反原発運動の中心を従来から担ってきたのである。私はそんな中で反対連絡会の事務局長をすることになった。

98年6月に開催された町主催の原発問題シンポジウムで、その反対派パネラーの1人となった私は、「原発を作るということは、この町全体が今後長きにわたって関電さんの言いなりになるということです。そういうのはイヤだなと思います」と発言したが、これが私を反原発運動に駆り立てた正直な心情であった。

推進側の攻勢は熾烈であった。彼らには「権力」と「金」があった。彼らはこの２つをフルに動員、活用して久美浜町の住民全体を原発バラ色に染め上げげて一気に立地をめざす戦略をとった。

「権力」とは、すなわち首長と議会と関西電力である。首長の片山氏とそれを引き継いだ吉岡光義氏は事あるたびに「原発は今後の日本に必要不可欠であり、その安全は国が保証している。そして久美浜を豊かにする」と公言し、18人の定員の13人を占める自民党系の議会保守派同志会は議会のたびに立地推進を督促した。また町は町職員に何度も原発学習会を受講させ、原発立地自治体への研修も大がかりにやられた。保守系の機関誌「あけぼの」や商工会だよりは毎回原発バラ色の記事を掲載した。

関電は豊岡支店に本社直属の立地部を置き（久美浜では駅前の旅館が定宿）、候補地蒲井への日常的な接触をはかりながら、地域の情報を集める活動を展開していた。議会には必ず関電の社員が傍聴してその動向や他の傍聴者の確認をしていたし、久美浜高校には毎年必ず関電から求人がきて卒業生が就職していった。

また、私はこの問題に関わったことがお上の逆鱗に触れ97年４月に久美浜高校から隣の峰山高校へ強制的に異動をさせられた。

「金」とは、すなわち町の原発関連予算と関電や関西原子力懇談会などが支援する資金や人材である。

原発関連予算は井尻町長時代の１９７７年に電源立地促進調査補助金として約５００万円で始まったものだが、その後増額が繰り返され、この第３波が起きた96年予算では２６００万円あまりとなっており、98年に吉岡町長に代わると一気に５０００万円になった。この資金が原発に関わる議員の研修、職員の研修、さらには候補地の人達の研修旅行と称するイベントや広報活動などにつぎ込まれた。

関電や関原懇からの支援額は不明だが、毎

年呼ばれる有名芸能人の講演会やコンサートは全て無料で行われた。その有名人を見れば、尋常の額ではないことは確かだ。95年山城信吾、96年高橋英樹、里見浩太郎、98年五木ひろしというような面々である。

1999年9月に創刊された「あとむ」という機関誌は、それ以後3年以上月1回のペースでその名の通りの原発推進一色の内容で全戸に配布された。これも関電がらみそのものだった。

とにかく推進勢力は、権力と資金をふんだんに使って原発PRと切り崩しを仕掛けてきたということである。

こうした推進側の大攻勢に対して、我々反対勢力はできることは何でもやった。

主なことを列挙すると、①まず組織の再興、②同時に住民への広報活動、③一方で原発問題そのものの学習活動、④そして何よりも町長選挙と町議会議員選挙の闘い、⑤さらに全国の反原発運動との連携、⑥加えて当の関西電力への直接の働きかけ、⑦極めつけは立地予定地の土地の購入等々、あらゆることをこの短期間（1996～2002年）にやった。

久美浜原発反対連絡会の立ち上げ

①は、それまでの運動の中心であった久美浜原発反対連絡協議会が構成組織の弱体などで機能していない状況に鑑み、その組織の再興をはかった。原発に疑問を感じている多くの人々を、久美浜町以外の方々も含めて集めようという方針を確認し、網野町や豊岡市の住民グループとも連携して、新しく「久美浜原発反対連絡会」という組織を立ち上げ、私がその事務局長となった。

広報活動・学習会

その一方で②の広報活動は、96年8月からシリーズビラ「原発を考えよう！・」として、久美浜の原発をめぐる動きとそもそもの原発の問題点について町内に全戸配布を行った。このビラは当初週1回から始まって、最終的に4年間で25号まで出した。これらと同時進行で、③の原発学習会を専門家や立地地域の関係者などを招いて断続的に行った。小浜の中嶋哲演さん、敦賀の坪田嘉奈弥さん、阪大の久米三四郎先生、福島大の清水修二先生、作家の広瀬隆さん、京大の岡田知弘先生、慶應大学の藤田裕幸先生、京大の小林圭二先生など、3年半の間によくこれだけ来ていただいたものだと思う。そんな中で連絡会の会員は500名を越えた。連絡会は3回の総会を開き、会の通信は96年から2001年にかけて11号を発行した。

④については、この第3波の間に2回の町長選挙と2回の町議選があった。97年の町長選挙では、それまでの片山町長が引退して原発最強硬派の町議であった吉岡光義氏が出馬してきたのに対して、当初からの反原発の中心であった共産党の町議岡下宗男氏が擁立され、そこに保守系で原発反対の安川利朗氏も出て三者三つ巴の激しい選挙戦となった。結果は推進派の吉岡氏（3802）が当選したが、岡下氏（3458）は344票差まで迫り、安川氏（970）の票と合わせると当選の吉岡氏をはるかに上回る票を得て「原発ノー！」の町民の意思を確認した。

99年の町議選は圧巻であった。当時の議会は、自民系13対共産5という図式で多くの住民の原発反対の意思と議会決定の状況は大きく乖離する状況となっていた。町議選も二期連続で無投票選挙となっていたのである。これを打ち破ろうと、反対連絡会の有志が「みどりの風久美浜」という政治団体を作り2人の立候補を発表すると、一気に候補者が増えて18人の定数に23人という大激戦の町議選となった。この選挙の結果は、共産党の従来の5名に加えてみどりの風から1名と反原発の保守系新人1名も当選、その一方で原発推進の中心人物が2名落選するなど劇的なものとなり、2度目の「原発ノー！」を確認した。

2001年の町長選挙では、原発推進の

現職吉岡氏と共産党町議で反原発の若手の中心であった堤喜信氏の一騎打ちとなった。堤氏の陣営にはみどりの風や保守系の安川氏なども加わり、現職が「もうダメかと思った」というほどの激戦を展開したが、吉岡4168対堤3798と370票差で惜敗した。しかしこのことで3度目の「原発ノー！」も確認された。

2003年の町議選では、18人の定数に22人の激戦の中で原発反対の議員が7名（共産5、みどりの風1、保守系無所属1）当選する一方で、従来原発推進であった保守系の候補者が選挙戦の中で誰もまったく原発を口にすることなく何とか選挙だけを凌ぐという結果となり、「原発ノー！」は明確に4度確認されたのである。

全国とのネット、関電に乗り込む

⑤は、とにかく久美浜のことを全国に知ってもらわねばと各地の様々な集会・イベントに参加して全国の様々な方々と交流を持った。その中から「関電株主行動の会」とも繋がりができ、⑥の取り組みは、私が関電の株主総会に参加して直接声をあげるということになった。総会では毎回久美浜の現状（「原発ノー！」の声）を明らかにしながら、原発依存からの脱却を主張し、会長の解任を求めた。

⑦は、私が建設予定地の一部が破産物件として競売にかけられていることを見つけ、その管財人と連絡を取り、2000年11月に実現したものである。このことは向こう側にとって相当な打撃であったようで、吉岡町長は後に「あれで立地はどうしようもなくなった」と述べている。

以上のように強烈なたたかいの結果、「原発はやりたくてもやれない」という状況になってきた2002年ごろより、問題は丹後6町の合併のほうに移っていった。この合併には6町全てで「住民投票」の直接請願の取り組みが起こり、どの町でも過半数近い署名が集められたが、結局全て否決され、２００４年４月の京丹後市発足となった。

この合併が久美浜の原発問題にどのように影響するか、反対運動に関わってきた者はとても不安を感じた。久美浜町と他町の住民意識の違いは大きく、経済的な苦境はどことも同じ、「原発のお金を」と短絡的に思う人達も多いだろう。反対運動も久美浜一町相手とは規模がまったく違う、というような理由によってであった。

それが幸いなことに、新市長の中山泰氏に「丹後に原発はなじまない」という明確な意思があり、２００６年2月の撤回宣言へと進み、それを関電が受け入れざるを得なくなって3月には正式な中止となった。

さて、30年を越える長きにわたって常に強大な権力と資金を相手にしながら久美浜の原発を止め得たものは何であったのか？

それはまず何と言っても現地久美浜の住民の皆さんの意思であった。最初に候補地蒲井地区の方々の強烈なノーの意思があって、その同意を結局まとめることができなかった。その一枚岩の状況が崩れたあとも、思いを同じくする久美浜の方々がそれを代弁し声を上げ続けたこと、これが大きい。その運動の中心は共産党・社会党と労働組合などの民主勢力であった。「選挙」で、「請願署名」で、久美浜の住民は何度も「原発ノー！」を明確に示した。

次に思うのは事故である。反対勢力が苦しい戦いを余儀なくされている時にスリーマイル（１９７９年）とチェルノブイリ（１９８６年）の事故は起こった。その度に推進勢力には強い向かい風が吹き、反対の動きは大きな盛り上がりを見せた。

さらに第3波に対しては幅広い反原発ネットワークを作り上げたことが大きかった。政治的党派や立場を越え、地域を越え、全国と連帯して「原発はいらない」という思い一つで実に多くの人が久美浜に関わった。

そこに予定地の取得というトドメの一手。

最後の最後に、京丹後市長の手で幕が引かれたということになる。

今思えば、「よくやったものだ」という感が強いが、この闘いの経験がその後起こった米軍基地建設問題や風力発電所建設問題への取り組みに大いに活かされることとなった。

蒲井海岸

久美浜原発反対調査返上を求める府民集会

原発ゼロ宣伝に取り組んで
――原発ゼロをめざす丹後ネット

丹後町　昭和34（1959）年生
下岡　久美子

2011年3月11日、地震の情報がテレビから流れました。リアルタイムで津波が川を遡上する様子を見て「早く逃げて！」と思いました。東京電力福島原発が津波に襲われ、大丈夫か？　どうなるのか？　テレビに釘付けになりました。後の映画「Fukushima50」によると、被ばく線量ギリギリまで重大事故回避のために作業をしていました（当時は知る由もなかった）。それでも水素爆発が起こり、放射能が辺り一面に撒き散らされました。現地の人たちは地震・津波・放射能から逃げなければならないのです。もし私がそこにいたらどうしているだろう。とても対応できない私の姿が想像できました（実は翌年の3月11日の北部集会には気持ちが沈んで参加できなかったのです）。

福島支援に丹後からも行こうといろいろな団体に呼びかけられ、京建労奥丹後支部主婦の会から2名が参加され、その報告会に参加しました。その後「福島の被災者に心寄せて何かできないか」と主婦の会の班長会で話題になり、私たちもなにかやろうと、まず「できることからはじめる丹後女性ネット」を結成したのでした。そこで福島支援の物品（干しうどん・漬物・民芸品等）の販売に取り組みその利益をカンパとして届けるなどしました。

東京の首相官邸前で反原発のスタンディ

ングが始まり、「毎週続けられるのか?・」と心配する意見もありましたが、私たちも2012年8月24日から峰山でスタンディングを始めたのでした。

それから丸10年が経ちました。金曜行動は毎回10人前後の参加で続いています。はじめは主婦の会メンバーが中心でしたが、日本共産党女性後援会のみなさんも参加してくださり「宣伝は楽しくなければ」と替え歌を歌ったり、鈴やタンバリンを鳴らしたりしていました。そして、今のリレートークの形になっていきました。

その間に組織が女性の団体から男性を含めた丹後ネットになり、さらに丹後の労働組合を組織している丹労連が事務局にも入ってくださり、「原発ゼロをめざす丹後ネットワーク（原発ゼロネット丹後）へと発展してきました。年次総会がきちんとできてきたのもそのおかげです。そうした組織強化の支援もあり、毎週の金曜行動や高校門前行動に取り組んだり、毎月事務局会議を開き、実践と学習を積み重ねています。金曜行動は2023年1月20日現在、500回目となりました。これからも原発ゼロ、地産地消小規模再生エネルギー普及への転換を求め、福島のみなさんに心寄せるのはもちろん、自らの命を守り安全な未来を築くために続けていきたいと思っています。

みどりの風久美浜の結成のきっかけ

久美浜町　昭和13（1938）年生
筒井　由雄

関西電力が原発計画を発表してから20年が経過しており、状況は刻々と変化していました。議会では住民投票条例を求める請願署名約4500名が否決され、原発立地を求める請願だけが通りました。絶体反対の姿勢を貫いていた候補地蒲井区の人達や湊漁協の中にも、「調査だけなら」と関電に歩みよるような意見が出るようなりました。関電も立地調査について宣伝行動を行うようになりました。このように反対する側の姿勢に変化が見え始めていました。

私たちは話し合いの結果、96年8月に政治団体を発足させました。団体名は「みどりの風久美浜」と名のりました。となり町網野や豊岡からも同志がかけつけました。メ

結成のきっかけは、住民の不安を置き去りにしたまま、原発が現実のものになっていく流れをくい止めたい、そのために他に何ができるか、という思いからでした。「久美浜原発反対連絡会」で活動している仲間数人で話し合いました。その中には「反対連絡会」で事務局長をしている永井友昭さんも入っていました。

話の流れは、政党に属していない者で新たに団体をつくり、はば広く住民の声を聞いて回り、議論の場に出していってはどうか、ということになりました。

運動する団体の数が1つでも増えることで、誘致をすすめる人達の動きにブレーキがかかることは間違いないと考えました。

ンバーは20名になりました。「原発に頼らない町づくり」をスローガンに運動を開始しました。目標は翌年2月に迫っている町会議員選挙に「みどりの風」から候補者を立てることでした。議会に新風を吹きこむことができればと思いました。

過去2回の選挙が無投票で、次も無投票ということになれば状況から推して誘致の方向に大きく動くのではないかと案じました。原発に関して論じ合うことなく無投票で当選した議員に、原発のような重大な問題を決めさせないためにも、なんとしても選挙にしなければならないと決意しました。

この20年の間に海外において2度も大きな事故がありました。スリーマイル島原発事故とチェルノブイリ原発事故です。チェルノブイリの時は、ショックが大きかったせいか誘致を進めている人たちも、さすがに立ち止まらざるを得なかったようです。しかし、それでも誘致はやめたとはなりませんでした。

私たちみどりの風は選挙に2人立候補者を立てました。私と角田吉高さんです。私たちの行動が刺激となったのか、12年ぶりの選挙ということもあり、定員18人を5人オーバーの23人が立候補しました。

無投票の予想もとりざたされるところを選挙になり、5人も多く立候補したことは、これだけでも原発を押し進める側にとっては緊張したと想像します。

推進側から、いやがらせのような電話が何度もかかってきたことをおぼえています。この時の原発をとりまく状況は少しの油断も許さない様相でした。選挙の結果は、私は落選でしたが、幸いにも角田さんを議会に送り出すことができました。みどりの風結成の目的の1つを達成できたと思いました。

大型風力発電から自然と暮らしを守る闘い

大宮町　昭和24（1949）年生
安田　潤

私は、奥大野で育った。狭い谷筋に軒を接する家々から沸く機音が、夏の森の蝉のように響いていた。久しぶりに歩いた。その機音こそ絶えたものの、佇まいは、変わらない。谷の川では、ヤマを釣った。岩の間にヒカラコを見つけたら英雄になれた。

大型風車は、その奥、水源の山の尾根に立つという。手前に「ちじゅう」、奥に磯砂山がある。小学校の校歌をひもといてみた。やはり、そうだ、山と人とは語り合っていたのだ。

山の高さは関係ない
人は　山に問い　山は　答えた
人は　泣いた
山は　じっと聞いていた
人は　山と　約束した
もう少し　がんばる、と。
山は、ぐっと　抱きしめた
山は　人を誇り　人は　山を誇った
人と山とは　無数の対話を交わしてきたのだ。

完成予想写真、フォトモンタージュは、そんな人と山との対話を映し出してはいない。高さ180メートル、ピラミッドよりも京都タワーよりも高い人工構造物を想像した、「近すぎる、危なすぎる」その近接感を、受け入れることができなかった。なにより、山との対話が奪われることになることを、危惧した。

竹野川の下流と源流に当たる丹後半島東側依遅ヶ尾山系、付け根中央部　磯砂山山系。二つの候補エリアは、不安定な地形、脆弱な地質でもある。土砂災害の歴史を持っている。災害は地名で伝えられる。依遅ヶ尾山塊には悪さする鬼を石にくくりつけたので、「石括り」。鬼の悪さとは、土石流のことだろう。

磯砂山東側山麓を校区にした常吉小学校統合記念誌には、「大正9年　4月車谷ツバス谷　山津波」「昭和11年　この冬豪雪。4月車谷桜ヶ成　大地滑り」を始め、地域を襲った大雨、豪雪、地震、火山灰降灰などが丁寧に記録されている。

新しいものを取り入れることも大切だ。が、森林学、生態学、土木工学など専門的な研究の公開された客観性、それが担保されたものであってほしい。

「2020年までに、あらゆる種類の森林の持続可能な経営の実施を促進し、森林減少を阻止し、劣化した森林を回復し、世界全体で新規植林及び再植林を大幅に増加させる」と、SDGs目標15「陸の豊かさを守ろう」にある。それを学んだ子どもたちは、問うだろう。山は生き物じゃないの！　削ったり木を抜いたりしていいの？

この問に答えようとはしていない事業者に、私達は答えさせなければならない。それはできるか？　できる！　根拠は？

環境や生態系・エコロジーは『みんなの家』だからだ。労働運動・地域おこしの若者だけではない、市民、観光商工業者、教育が繋がり始めている。水源の自然林を壊し、風力発電を設置したものの、電力固定買い取り期間20年、自然林回復200年。「不可逆」の意味を私たちは噛み締め、子どもたちの問いに答えたい。

校歌

作詞　森岡正直
作曲　塚原桂子

一　朝日をうけてみどりなる
智住の山を　仰ぐとき
にっこりぼくらによびかける
強いからだに　きたえよと
ああ　学び舎　たのし倉垣校

二　かすみたなびくいさなごの
豊かな水の　流れから
にっこりわたしに　よびかける
清く正しく　伸び行けと
ああ　学び舎　たのし倉垣校

三　歴史も古き　わがさとに
文化のひかり　さそうとき
にっこりみんなに　よびかける
誇り高らかに　生きぬけと
ああ　学び舎　たのし倉垣校

風力発電所建設の是非は私たちで決めたい

弥栄町　昭和23（1948）年生
藤原　利昭

私は、清流野間川が流れる野間地域で、山に入り木を切り木炭を焼き、その炭を畑に入れて野菜を作り、木炭の売り上げで紅葉やケヤキ、銀杏などを山や耕作放棄地に植えるプロジェクト（総数700本余）に取り組んでいます。最近、村では風が吹くと山が坤ります。雨が降ると黒い濁流に川が吠えます。里山に豊かな恵みをもたらしてきた山と川が悲鳴を上げているようにも思えます。これは、地球規模の気候変動の影響であることは疑う余地のないところですが、人間が里山に手を入れなかったこと、逆に人間が里山に手を入れ過ぎたことへの、自然からのしっぺ返し、山に生きる獣（猪・鹿）たちの人間への警告ではないかと感じています。

私の暮らす野間は、1950年代には22の集落、230世帯1300人が、炭焼きと養蚕と農業を営み、子どもは300人を超えていました。ところが2022年の今年、今や9集落、74世帯140人に激減し、子どもは3人、75歳以上の後期高齢者が48パーセントとなり、超々少子高齢化社会となりました。1960年代までは、120基の炭窯があり年間45トンの炭を出荷していました。人々は里山に入り、手入れを行い、山は再生され、猪や鹿などの獣とも棲み分けて暮らしていました。しかし1960年代に始まったエネルギー革命により農山村から人々の姿が消え、里山に人間の手が入らなくなり、山はいつしか葛に覆われ荒廃してしまいました。保水力のあるブナ等の広葉樹は伐採され杉などの針葉樹が植えられていましたが、人手不足で管理ができない杉林には陽が差さず下草も生えていません。シカの食害もひどく、遠くから見れば緑の山ですが、山へ入ってみると赤茶けた土がむき出しになっています。次の世代が育っていません。ここに雨が降れば水は一気に土を剥がし山は崩れ、風が吹けば木は倒れ、土砂や倒木は一気に川へ流れこみます。

40年前に「国営総合農用地開発事業」が800億円を投入して行われました。木を切り山を削り谷を埋めて農地を造成する国の事業が実施されました。野間川の源流域木子地区の国営事業により、野間川には膨大に量の土砂が流入し、土砂は淵を埋め岩や石ころは姿を消し、魚は住処を失いました。農薬、化学肥料等も大量に流れ込み、流域全体の植生や生態系に影響が出ました。花崗岩を通り抜けた美味しい水、豊かな水量と急流で育った美味しい鮎、子どもがカニ釣りや小魚取りを楽しむ景色が消えてしまいそうです。野間の山と川は死んでしまったといっても過言ではありません。

昨今、自然エネルギーへの転換を図る必要があるとし、国や地方自治体が支援し、全国各地で民間事業者らよる太陽光発電所の設置や風力発電所建設の計画が進行していきます。少なくない地域で住民との間で抜きさしならぬトラブルが発生しています。その要因の多くは、事業者がその地域に暮らす住民に情報も出さず、意向調査も行わないまま、もしくは、意見や要望には耳を傾けず、一方的に事業を強行する中で起きています。

また、府市町村の地方自治体は、事業者と住民の問題だとして、自らは積極的に関与せず、場合によれば、事業者の立場を代弁するかのような対応をすることで、トラブルは頻発し泥沼化に陥っています。

今まさに、この丹後半島に43基もの巨大風力発電所を建設するという計画が持ち上がり、私は大変驚いています。大規模に木を伐採し山を削り谷を埋めることになれば、豊かな自然や生態系が壊されてしまう。場合によれば大規模災害が生じて住民の暮らしや命が脅かされるのではないかとの不安が募ります。自然に負荷をかけ過ぎると取り返しのつかない事態になると考え、「風の半島ＴＡＮＧＯ　丹後の野山を守る会」を立ち上げて、取り組みを進めています。私たちは開発そのものを全て否定しているわけではありません。国営農用地開発では先ほど述べたような負の部分が大きいのですが、その後は移住者や若者の就労のチャンスを増やしてきたという一面もあります。私たちが、事業者や国・地方自治体に働きかけ求めていることは、正確な情報を開示し多数の市民と率直な意見交換を行い、それぞれが役割を果し誰もが納得できる一致点を見出す努力であり、最終的には「風力発電所建設の是非は私たち住民の手で決めたい」ということです。なぜなら、この丹後半島（地域）で暮らしているのは私たちなのですから。今回の風力発電所建設だけではなく、ここで生じる様々な課題に対しても、できるなら自分達も関与して打開し、豊かで落ち着いた暮らしがしたいと考えています。東京や福岡の企業は丹後半島の資源は利用しますが、そこで日々の暮らしを営むことはありません。風力発電所建設の直接の影響を被るのは、丹後半島の自然と環境を守り、文化や歴史を育んできた私たち住民なのです。事業者はその住民の意向を尊重することは当然のことですし、地方自治体も「住民の命と暮らしを守る」という地方自治の本旨に立ち返り、住民の意見や要望に沿った対応をするべきだと思います。私たちは、今までと同じ様にこれからも、様々な意見のある方たち、事業者、自治体のみなさん方と真摯に対話を重ねて、お互いに合意の出来る一致点を見つける努力を続けていきたいと思っています。

丹後町依遅ケ尾山麓より大
型風力発電予定山系を望む

風力発電予定地
アセスツアー

丹後地方における線下補償運動

久美浜町　昭和12（1937）年生
松田　成渓

電力会社は高圧送電線下の地権者に対して補償する法的義務を負っています。ところが、戦前から敷設されている丹後地方の高圧線下にはまったくそれがなされていないことが農民組合京都府連合会の調査で判明し、丹後における線下補償運動が始まりました。久美浜から宮津に至る一市八町にそれぞれ線下対策協議会、それらの連合体として丹後地方線下連絡協議会（以下丹後線下）が結成され、農民組合京都府連に加入しました。

この運動はやがて舞鶴、綾部、福知山、船井、亀岡へと一気に波及し、線下補償を求める府下の地権者総数は３０００名を超え、わが国でも例をみない大規模な線下補償運動へと発展していきました。

丹後線下は、府下の先陣をきって１９８１年3月10日、関西電力京都支店（以下関電）に高圧送電線の線下補償を求めて地権者の「委任状」を提出しました。

その要求は、「1、補償方式は年次補償とすること　2、補償単価は、すでに補償されている他の地域と公平に扱うこと　3、過去の未補償分を含め「遡り補償」をおこなうこと　4、木柱・コンクリート柱送電線路も当然補償の対象とすること」と、きわめて常識的で正当なものでした。同時に私たちの運動は「金取り主義」の運動ではなく、地権者が自らの権利を自覚する運動であり、その要求は社会的道義にかなった道理あるものとすることも確認しあってすすめました。

これに対し関電は既得権を主張し、「補償はできない」との回答をくり返しました。

関電のこのようなかたくなな態度を打ち破るため、関電京都支店でのたび重なる交渉に加え、ときには府下の線下協議会の支援も得てバス動員による大型交渉団を組織して京都支店と交渉するとともに、丹後での交渉、大阪にある本社との交渉などねばり強く取り組みました。

翌年4月、関電は補償することを約束しました。その後「打切り補償」という補償方式や木・コン柱送電線路の補償拒否などの関電の回答をうち破っていきました。関電から補償単価が初めて提示されたのは、それから1年経った1983年3月末でした。年額で平地25円／㎡、山地5円／㎡という低額回答で、合意に至るまでにはさらに1年半を要しました。

こうして、1984年11月13日、関電と全面的な合意に達し協定書に調印しました。その内容は、丹後線下の要求をほぼ100パーセント実現するという画期的なものでした。関電への要求書提出から3年半、この間事務折衝を含めると実に100回を超える交渉の成果でした。

合意した内容

◇補償の方式　年次補償
◇補償単価（丹後町・弥栄町／久美浜町／その他の市町の3ランクに分ける。単価：㎡当たり）
平地　丹・弥182円／久189円／他242円
山地　各市町とも105円
木・コン柱　鉄塔路線単価の2分の1
◇補償開始　1984年度（昭和59年度）
◇遡り補償　4年間（昭和55～58年）

この運動はスタート時から関電による激しい組織分断攻撃にさらされ、これらとのたたたかいの連続でした。これに乗ぜられた地権者も一部に出ましたが、多くの地権者はその本質を見抜き「団結こそ最大の宝」とがんばりぬきました。

その後、5年ごとに単価の契約更改を行っています。第1回の契約更改交渉はバブル期の真只中で行われ、補償単価を平地145・5～160・4パーセント、山地110・5パーセントと大幅な引き上げをかちとりました。しかし、それ以降関電は、更改のたびに現行単価は「高額すぎる」と頑強な態度をとり交渉は難航、長いときには4年目にも及ぶという長期戦となっています。

高浜原発

「関西電力高圧送電線」線下補償交渉について

弥栄町　昭和26（1951）年生
平林　善一

1981年8月27日、私のノートにはこの日、標記の「対策会議の準備会を開く」と記されていました。井辺17人を軸に近隣3区総勢50名近い地権者の巨大資本「関西電力」との戦いです。

当時、大阪市、東北地域以外3万3000ボルトの線下補償はありませんでした。「線下の被害なんてない？」状況でしたが、改めてこの線下補償の取り組みの意義は大きかったと思います。

線下補償の意義は、線下補償等における実害補償（線下における電磁波障害問題、線下における土地・建物の固定資産評価問題、送電線鉄塔敷地の使用料問題、鉄塔管理に伴う巡視路補償問題、線下の樹木伐採補償問題等）と市民権の行使（土地等の一定の上空を侵害されることとの地上権設定契約）と幅広い意義があったと思います。

1982年6月5日弥栄町線下協議会が発足しました。総会で、京都農民連の上原氏から「1964年以来、関電は10万ボルト以下の補償は行っていない。ほとんどの地域で一時金程度の打ち切り補償。今後の運動は、委任状提出した地域への、境界確定のくい打ち、測量会社による測量が始まる」とのメッセージを受けていました。総会までのあいだ、弥栄町準備会では補償問題に関する協議会への委任状を一斉に取りました。

このような自覚的な運動に対し、執拗に組織の切り崩しも行われました。「だれが補償問題に取り組んでいるか？　年次補償はできない。関電のいいなり組織でいいのでは。農民連を表に出し、手数料をとり、裏で共産党に金が渡る」という根も葉もないうわさが立てられました。あとでわかったことですが、関電関係の職員が町役場まで出向き、自治会、地域を回り、切り崩しを図り、区長も別の委任状を取る作業に入っていました。

こういった逆流に対し、そのつど役員会を開き、将来に禍根を残すことのないよう、年次補償を求め続けました。自治会と運動団体とは切り離すこと、ニュースの発行などで丁寧に説明をし、みんなの納得を得る活動を行いました。残念ながら、一部地域で一時補償を軸とする組織に分断されましたが、弥栄線下協議会は遡り補償も含め交渉が妥結し、第一回妥結額は1980年4月からの5年分として974万円、宮津、野田川含む丹後線下協議会は実に1億3300万円の妥結額をみています（参考　1990年度の弥栄町における山林補償は116円／㎡、平地補償292円／㎡）

2005年6月、関電は、「間人・小脇線」鉄塔を撤去・既設（道路）線に3万3000ボルトを通すことによって弥栄町線下協議会は解散となりました。

連日連夜の役員会、ニュースづくり、そして5年毎の激しい更改交渉（ゼロ円時もありました）、京都本店への交渉、補償料に対する税金闘争、組合員の親睦旅行などは振り返れば懐かしいことに思えます。

国営農地開発が進展する中で、井辺の関電鉄塔も予定地区内にありましたが、関電はとうとう鉄塔を撤去するのみで、いまだ国営農地内に鉄塔敷地山林が2ヵ所残っています。峰山、久美浜、網野、宮津市など鉄塔がある地域では原発推進、巨大資本「関電」との戦いを今でも進めています。

野間の人たちの了解がない限りダムは造れないし造らせない

弥栄町　昭和23（1948）年生
藤原　利昭

1994年6月10日、野間基幹集落センターで行われた町政懇談会で、野間川上流須川渓谷に計画されている須川ダム（幅200メートル、高さ100メートル）について、「野間地域の発展・活性化のためには、味土野国営農地の開発や須川ダムは建設しなければならないと考えているが、野間の人たちの了解がない限り造れないし造らないつもりだ」と森岡町長は言明しました。

暮らしの中心を流れる清流・野間川は、国策である丹後国営農用地開発（木子団地の造成）に起因する土砂・汚泥・肥料等の流出で、淵がなくなり河床が上昇し小石が埋り、川そのものの様相が変わっていました。富栄養化の進行で珪藻も変わり、生き物にも大きな影響が出ていました。野間に住み続けたいという青年たちにとって、野間川の変貌・自然環境の激変には耐え難いものがありました。追い討ちをかけるように、国営農用地開発に伴う用水確保のために、須川ダムの建設計画が持ち上がり、地質調査が実施され、また味土野に国営農用地を開発する計画が提案される事態になりました。

青年達は1991年に「コミュニティin野間」を結成し、空き缶拾いや川の清掃活動、ニュースの発行による啓蒙活動を行い、1992年3月には野間川の素晴らしさを大勢の人たちに知ってもらいたいと、野間川源流ハイキングを企画し丹後一円から3歳～65歳までの60余名の参加で成功させました。そして1992年4月17日「野間川を守る会」を結成し、最も要求が強く見識のある人を中心に体制を整え、①要求を大切にする　②可能な限り多数の住民と共に活動する　③情報宣伝活動を重視する　④事務局が結束する　という方針を確認しました。

8月上旬には会員は150名を超え、行政（土木工営所・弥栄町）関係者・野間連合区長会・野間漁協・宇川漁協などとの協議、美山町芦生や長野県栄村への視察、生活排水と川の汚染・縦貫林道リフレッシュ事業等の学習会を実施しました。当初は「会」の活動への誤解から、地域住民との関係が何となくギクシャクしていましたが、間口を広げ要求の一致する人には誰にでも門戸を開き、自然環境を守るというだけではなく、野間地域全体の課題にも取り組むことで、1993年3月には会員も190名になり、地域では一定の地位と役割を果たす組織となりました。その後も、話し合いや学習会は何度も行い、さらに野間川の水質調査、野間の自然を賞味する会（春の山菜と蕎麦・夏の鮎と蕎麦・秋の山芋と蕎麦）リバーウォーキングなどを積み重ねました。機関紙「渓風」やビラの発行など情報宣伝活動も積極的に行いました。

野間漁協の役員会は1994年3月の総会で、須川ダムの建設に合意をするという意向があることが判明し、「野間川を守る会」は総力を上げて漁協組合員への働きかけを行い、総会当日の役員選挙で現職の組合長をはじめ全役員を否認し、新しい役員体制を整えて、その場で須川ダム建設反対の決議を採択しました。同年、宇川漁協も反対決議を上げるなど反対の機運は強く大きくなりました。加えて丹後国営農用地開発の事業自体が縮小されたこともあり、冒頭に述べた町政懇談会での森岡町長の発言となり、その後須川ダム建設計画も味土野団地造成も立ち消えの状態となりました。

体制の確立（組織は人）と民主的運営は肝、学習活動と情報宣伝活動は力、何よりも野間に住み続けたい要求こそが人を変え地域を変える源泉であることを実感した活動でした。しかし、須川ダムの建設は止めることができましたが、自然環境は一度破壊されてしまうと、元の姿に戻ることはできません。鮎の銀鱗がきらめきアマゴが跳びはねる清流・野間川は、源流の山々の荒れと共に水量が減り、川を棲みかとする生き物が減少し、川を中心とする景観も変わっています。でも当時の若者は各分野で力を発揮してきましたし、そして今も尚、村の大切な役割を担っていることをうれしく思います。

弥栄町野間の清流

小脇の子安地蔵さん

丹後町　昭和5（1930）年生
東　世津子

古代史の夢とロマンに満ちた丹後半島。宇川の上流の小脇村に用明天皇の第3王子麻呂親王の発願により作られたと伝えられる子安地蔵さんが祀られていました。このお地蔵さんには昔から語り継がれている不思議なお話があるのです。

むかし、むかし。その年は大雪で山も谷も深い雪に閉じ込められていた正月すぎに、夜中になると、どこからともなく赤子の泣くような小さな声が聞こえてきて「なだれがくるぞー、早う去れ。なだれがくるぞー、早う去れ」とお告げになるお地蔵さんの夢をみたという人があちこちから出てきたのです。もしやと思ってお堂へ行ってみたらお地蔵さんはもぬけのからでした。小さな足跡が遠くまで続いて岩場に立った金色に輝くお地蔵さんが「こっちへこい。こっちへこい」と手招きしておられたのです。お地蔵さんのお告げに従って安全な場所へ逃げた村の人たちはなだれから逃れて助かったのです。命拾いしたこの人達が小脇村の先祖さんだと伝えられています。

その後、お地蔵さんと一緒になって小脇村は栄えていったのですが、時代の波に押し流されて離村者が続き、平成元年にお地蔵さんは平の常徳寺へ遷佛され、手あつく祀られています。今も黄色に輝き、人々の幸せと平和を見守ってくださっています。

第六章
文化と教育を守る活動

弥栄町金剛童子山

弥栄中学校野間分校の地域に根ざした教育運動と学校統廃合について

峰山町　昭和21（1946）年生
東　宏太郎

野間では地域の課題を話し合う「懇談会」、スノートンネル設置、S字カーブ解消の道路建設、安心して通院・通学できる町営バスの実現など、住民運動が盛んでした。

私が、新米教師として赴任した野間分校の初担任のクラスは、男子10名、女子1名という典型的な過疎地の「変則的な小規模クラス」でした。毎年、2学期末に取り組んできた生徒会主催の「文化祭」に、自分たちの演劇発表や作品展だけでなく、PTAの保護者や地区住民の方々の参加も募ろうということになり、各部落の寸劇や楽器演奏、わら細工や民具の展示、昭和38年の「豪雪」の写真集も展示されました。ささやかな小規模分校の「文化祭」が大規模な「野間地区ふるさと文化祭」となりました。

この「文化祭」は、分校が1997年に本校に統合されても尚、住民のみなさんに支えられ、2020年秋に第50回の「記念文化祭」として開催され、私たち教職員も招待される予定でしたが、残念ながら新型コロナの影響で中止となりました。

新任教師の私には、「学校は単に教えるところ」ではなく、「学校は野間の将来を担う子ども達を育てるところ」という考えでした。野間川の一画で、鮎や鱒の養殖を試みていた田中道夫先生、味土野の分校で、ご夫婦でがんばってこられた増田光夫先生、そして何よりも半世紀もの間「文化祭」を続けてこられた野間の人々の偉業とも言える努力に驚嘆し、「ふるさと」を深く愛し、守ろうとする熱意に、尊敬の念をおぼえました。

私が1977年に本校に異動したあと、すぐに、弥栄中学校の新校舎改築と、野間小を含めた「小学校の改築統廃合問題」が起こりました。「小学校は現地改築か別地か」「新校舎ならどこにするのか」「跡地をどう利用するのか」「小規模の利点やきめ細かな学力保障の取り組みはできるのか」「通学保障（バス運行）はどうなるのか」など文部省の統合基準や見解も含めて、全国で起こっている問題や取り組みをビラにして合計20号の新聞折り込みを行いました。そんな中で、「学校統廃合を考える父母の会」など住民組織もできて、学校の問題は町の将来を左右する全住民の問題という意識も芽生えて、「中学校の改築校舎の西向きから南向きへの変更」「小学校の現地改築環境整備」など一定の成果を得ました。特に中学校の問題では、小谷憲壱議員に大変お世話になり、直接、町長に住民の声を届ける役割を担っていただきました。その結果、町内5つの小学校は現地での新校舎改築が実現し、その後2014年、鳥取小学校の跡地が整備され、黒部、野間、溝谷、鳥取の4小学校が統合され、「（新）弥栄小学校」となりました。吉野小学校は現地の運動もあり、「複式学級になったら統合」という条件で、現地に残り、一部改修整備も行われました。

この「学校統廃合問題」は単に「教育施設の統廃合整備の問題」ということにとどまらず、「すべての子ども達にゆきとどいた教育を実現する」という、正に民主教育の拡充と発展を願う取り組みとなりました。

老いた身体ですが、私もなお、若い気持ちで、日本や丹後の未来を担う子ども達にゆきとどいた教育を実現する取り組みに何かできればしていきたいと思っています。

こつこつ、手探りで歩んだ弥栄町の学校再配置の是正を求める運動

弥栄町　昭和30（1955）年生
廣谷　恵子

早期退職した2008年6月、隣人の堀井さんから京退教の「学校統廃合の学習会」に誘われたのが始まりだった。「検討委員会案では、弥栄町も峰山町も1校。自分が3月までいた大人数の峰山小学校まで無くなる」信じられない思いだった。と同時に、現場には何一つ知らされていなかったことに強い怒りを覚えた。

翌年2月、市教委から学校再配置計画（案）についての意見募集が全戸配布された。3月25日の新聞で、年金者組合で仲良くなった女性が必死で豊栄小学校の存続を訴える記事に衝撃を受け、元教師の自分も動き出さねばと腹を決めた。その説明会で提示された「市内の児童数の推移表」を見せてもらうと、吉野小は今後6年間の児童数は横ばいだ。私はパブリックコメントを一気に書き上げ、27日に送信した。

そしてこの日から堀井さんと芋野・吉沢・堤の3地区を回り始めた。2年生以下の子どものいる家に。迎えの時刻に合わせて保育所に。区事務所に。ほとんどの人が再配置計画のことなど知らなかった。全戸配布にも気づいていなかった。他町のように弥栄町でも説明会を持ってほしい！　こんな大事なことをみんなで考え合いたい！　これが皆の願いだった。

4月30日、弥栄町区長会主催の再配置学習会に各区から3名参加ができると知り、私も喜んで参加した。しかし、もめにもめ開

会の遅れること30分。一般参加者は傍聴のみ、区長も質問のみ。意見は受け付けないという。吉沢区長たちが弥栄町でも説明会をと求めると、「3月で打ち切った。他町も断っている。弥栄を受け入れると不均衡が生じる」と教育長は一切応じなかった。

ビラにこの事実と学校再配置を考える集いを持つことを載せ、堀井さんと二人で吉野校区450戸に届けたのを皮切りに、集いを3回持ち、町で1校ではなく、吉野と溝谷で1校、鳥取と黒部と野間で1校の2校を残すという条件が総意となっていった。6月22日には市長代理の教育長に「弥栄町に2校残すことを求める要望書」を提出した。39名分の「私の一言」も記して。

以後は、溝谷校区にもエリアを広げ、全7回の集いを持った。毎回のビラに集いで出された意見の大要を載せたので、地域の方々にも私たちの運動は知れ渡っていった。初めて溝谷校区に届けたビラには39名の「私の一言」を載せたが、協力依頼していた人から怒りの声がでた。「溝谷小学校区の者は、ビラの『私の一言』を読んで大変怒っている。吉野小を残すために溝谷小校区を利用するのか。溝谷小は危険と書いてあるが失礼にも程がある。自分は1校に賛成だ」大変厳しい意見だった。その後もあちこちから、溝谷校区から不満が出ているとの情報が入る。しかし、4回目の集いは30名もの参加で大変実のある交流となった。2校区で請願署名に取り組むより打開の道はないという気運が盛り上がるが、それを決議する予定だった6回目の集いはわずか19名。うち初参加者が6名。「こんなに少ないのなら来るんじゃなかった」「署名なんてとても無理」「吉野小か溝谷小か、どちらを残すかはっきりしないのでは後でもめる」という声。重く暗い雰囲気。だが、若いお母さんの声が流れを変えた。「何もやらなければ何も変わらない。例え署名して過半数集まらなくても、住民の多くが1校に賛成とわかるだけでも署名に取り組む意味がある」

一気に気運が盛り上がり、２週間ごとに集約会議を持った。拡大した住宅地図に落とし、署名の進行状況を一目瞭然にして作戦を立てた。６地区全てで過半数を超え、全体で１３５７筆、有権者比70・49％もの署名が集まった。12月15日に市長に陳情書を、教育長には要望書を提出。１月18日には市議会議長に陳情書を提出した。

陳情後も、議会を何度も傍聴し、町内の議員のもとへも足を運んだ。たくさんの協力者、理解者を得て、すごい運動ができたと思う。結果は不採択になり、私たちが望んだ溝谷と吉野で１校ではなく、吉野だけが残った。仲間外れのような形になり、保護者達はどう感じているだろうとしばらくは不安だったが、吉野小の運動会や学習発表会に行かせてもらうと児童一人一人が生き生きとしており、全校合唱は感動で震える。

堀井さんは、よく「吉野小が残ってよかったと思えるように、地域が今まで以上に学校を支えるような取り組みがしていきたい」と話され、毎日の登校の見守りをされている。

統廃合についての学習会の様子（2021 年）

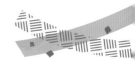

丹後での高校定員増を求める運動

久美浜町　昭和37（1962）年生
家城　まさみ

私の住む京丹後市は、古くから「丹後ちりめん」で栄えた所ですが、長期にわたる機業不振で地域経済が落ち込み、5年前に6町が合併して「市に昇格」したものの明るい展望は見えてきません。加えてリーマンショックによる「百年に一度」と言われる経済混乱がこの丹後にも大波となって押し寄せ、大変な状況となっています。そんな時期に高校入試を迎える中学3年の母親として、予想もしなかった経験をさせていただきました。

100名を越える定員オーバーにびっくり

私たち中学3年の子を持つ保護者は、3年当初の進路説明会などで「今年の入試は厳しくなるかも」と一般的な話として聞いてはいましたが、そんなに深刻には受け止めていませんでした。ところが8月28日に発表された「高校募集定員」の説明を聞いてびっくり仰天。

京丹後市の9中学の卒業生722人に対し、市内公立高校3校の募集定員枠は何と610人でした。私学は地元にないので単純に計算して100人を越す子ども達が溢れてしまう事態です。先生からそのことを聞いた生徒たちの受け止めは深刻で、「スベリ止めに私学も受けるように言われたけど、そんなお金があったらお兄ちゃんの定期代に使って」とか、「公立がダメなら浪人してまた受け直す」などと、家の経済事情を察した辛い言葉を語っているとお母さん方から聞きました。私たち保護者も「何とかな

127

らないか」との思いはあったものの、どうしたらいいのかも皆目わからず「仕方ないか」とも思っていたのです。そこへ教職員組合の先生方から「今からでもできることをやりましょう」と声をかけていただき、「これでいいのか！　丹後の高校入試」のつどいに多くの保護者とともに参加しました。

子どもに「がんばれ！」だけでいいのか

60名を超す保護者、先生、議員などが参加した12月3日の「つどい」で、私はあいさつに立たれた奥丹教組委員長（娘の担任）をはじめ、中学と高校の現場の先生方の実際の話を聞かせていただき、本当のことを知ることができました。

私は、「4月ごろに校長先生から『今年は厳しい』と言われたが、あまりピンときていなかった。大阪出身でこちらの入試の事情もよくわからない中で、何とかしなければと思うが、何ができるかわからない。私も反省しているけれど、もっと早くこういう場を作ってほしかった。大変だ、大変だというだけではがんばっている子どもに顔向けができない。今からでもできることを考えて行動に移したい」と発言しました。

他のお母さんも、「目の前の学校に行かせてやれない。勉強しろというだけで子どもを追いつめている。私にできることがあれば何でもやりたい」と訴えました。また京都市内から駆けつけていただいた府会議員さんからも「府議会でもこのことを追及したい。京都府教育委員会は『与謝を含めて通学圏全体では枠は充分。私学もある』との見解で、行政の責任放棄だ。ファックスをおくったりして何でも皆さんの声をあげてほしい」と励まされました。最後に、「とにかく関係するいろんな所へこの声を届けましょう！」という行動提起がなされ、先生たちもいっしょにがんばってくれそうだし、私たち保護者もやれることはやろうという気持ちを固めました。

1月23日、私たちは先生方といっしょに小雪舞う丹後から3時間かけて京都府庁に行きました。京都府教育委員会にとにかく丹後の状況を訴えようということです。２人の府会議員さんも同席してくれました。その場で私たちは、「丹後は京都市内などとは地理的条件もまったく違う。どうして丹後の子どもたちばかりが、こんな辛い目にあわなければならないのか」「百年に一度という厳しい経済状況の中で、それに相応しい緊急の募集定員増をやっていただきたい」と訴えました。

それに対し、高校教育課長らは、「切実な声を聞かせていただいて心が痛む」と言いながらも、「与謝もふくめての通学圏では数十人も困るとは認識していない。このところ未充足の学校もある」と強弁されました。私が最後に、「とにかく丹後の子ども達に悲しい思いをさせないでやってほしい」と懇願してこの場は終わりました。その後で記者会見を行い、翌日各紙はこの事実を報道してくれました。

その要請の帰りに車の中で、「このままでは動きそうにない。これから何をやったらいいだろう?・」といろいろと相談をして、できることは片っ端からやっていきました。「知事へのさわやか提案」へのメール、地元選出の府会議員への要請、丹後振興局長・京丹後市教育長・副市長への要請など先生方といっしょに思いつくことは何でもやりました。知事へのメールは相当な数が送られ、知事はとても気にしておられたそうです。地元選出の府会議員さんも、話をする中で私たちと思いを共有していただけるようになり、関係当局へ強い働きかけをしていただきました。これらのさまざまな運動の結果、２月には府の教育長が、「募集定員数を超えて合格させる」ことを実質的に公表するに至ったのです。

声が届いた！ 16名の合格者増に

私たちは「最終的にはどうなるのか?・」と心配しながら3月17日の合格発表を待ちました。結果は、丹後通学圏の5校で16名の定員を超える合格者が発表されたのです。しかも私たち丹後の取り組みが呼び水になって、全府的に定員を越える合格者が出されていると聞きました。

3月25日に開かれた2回目の「つどい」では、受験生の女の子が「私たちは受験という重圧から逃れることができず、毎日泣いて過ごしていました。そんな中で親や先生は集会を開き、京都まで要請し、メールやファックスなどで私たちのために動いてくれました。その結果、16人が定員以上に受かって、その中に友達が入っているかと思うと、言葉に言い表せないぐらいの感謝の気持ちで一杯です」とうれしい言葉を述べてくれました。

当初こういう結果になろうとは正直思ってはいませんでしたが、私たちがあきらめずにやってきたことと、厳しい経済状況が重なり、府が英断に踏み切ったのだと思います。

私は特別な親ではなく普通の親です。小さな時から自分が知っている子どもたちに悲しい思いをさせたくないと思ったのがそもそもの始まりです。入試は今年で終わりではありません。厳しさは来年も変わりません。「来年は大丈夫やろう」なんて思っていたら、今年のように大変なことになります。今回の定員を超える合格者は成果ですが、一方で不本意入学の子どもたちがたくさんいることを忘れてはいけないと思います。「考える会」の活動をこれからも続けていってほしいと強く思います。

子どもは大人を見ています。大人が真剣にやる姿を見て応えてくれるのです。先生方には、「先生は保護者にとって遠い存在に見える」ということを知っておいていただきたいのです。親はいろんな事を心配して、自分からかんたんに発信できるものではありません。先生方からの親への発信が大切だと思います。大切な子どもたちのために、これからもがんばって力を合わせていきたいと思います。

統廃合を決めるのは、保護者・住民の手で

丹後町　昭和13（1938）年生
増田　光夫

２０２０年12月、京丹後市教育委員会は、「複式学級、小規模校では子どもが育たない」と「学校再配置計画（案）」を宇川小学校・住民に対し提案してきました。

保護者・住民は、「合併後人口減少が著しい。米軍基地ができて若者も寄り付かない。再配置は再考してほしい」「10年前と同じ数のことばかり。いつもへき地にしわ寄せがくる」「移住者は山の中の目の届く小さな学校で、子どもを育てたいという人たちばかりだ」「数が減るからというなら、同じ論理で市が他市と合併することになる。宇川小を残して活かす発想が市を守ることになる」「複式になっても宇川が元気になる方向にしてほしい」「米軍基地が押し付けられ、宇川を出ていった人もいる」「移住者を増やそうとしているのに、学校をなくすのはおかしい」「宇川特区をつくるなど新しい取り組みを考えてほしい」（２０２１年8月住民説明会）、「少人数でしっかり教えてもらい力もついている」「子どもたちは伸び伸びと育っている。人数が少なくなっても宇川小に通わせたい」（２０２１年7月小学校説明会）と声をあげてきました。

宇川小学校統廃合問題の発端は、２０２０年12月7日、京丹後市教育委員会（市教委）が２０１１年に策定した「再配置計画」（1次計画10年間）が最終年となるため、新たに「適正配置計画案」（2次計画10年間）を策定し、２０２１年の3月議会に提案することを明らかにしたことによります。2次計画は、前半の5年間に弥栄町吉野小、丹後

町宇川小を統廃合し、後半の5年間に４小の統廃合を予定すると明記しています。１次計画の10年間には31校の小学校を17校へ、中学校は９校から６校へと40校あった小中学校を23校に統廃合、実に42・５パーセントの学校を無くしました。市教委は統廃合の理由として、児童数の推計値を示しながら「複式学級や小規模校では子どもが育たない」と、住民・保護者の不安感を煽るような説明をしてきました。

小学校、上宇川・下宇川地区の説明会では「理解を得る」状況になく、２０２１年３月議会、６月議会、そして、９月議会への提案を三度断念に追い込みました。

この間、宇川では、「宇川小学校・統廃合を考える会」（仮称）を結成し、丹後町内に数回の全戸折込みビラ、「京丹後市適正配置基本計画（案）の拙速な審議・採決をされないことを求める陳情書」「小さくても輝いている宇川小学校の存続を求める」署名（２０２１年10月、実に宇川の有権者の７割強の署名）、小集会や懇談会に取り組むと同時に、和光大の山本由美教授を招いた学習会「学校統廃合を考え合うつどい」を行いました。２度にわたる学習会には住民が参加し、学校統廃合のねらいと全国の教訓的な取り組みを学びました。「小規模校・複式学級では子どもは育たない」論は「俗説で教育学的根拠はない」「小規模校で豊かな実践例は数多くある」という話に多くの住民・保護者が確信を持つことができました。市教委にその教育的根拠を示させること、１次計画の検証を十分行うこと、統廃合は住民・保護者の意見を尊重することを求めて取り組みました。

宇川地区は京都府の最北端に位置し、古くから大陸文化の影響を受け、縄文遺跡・旧石器遺跡等が存在する豊かな海・山・川に恵まれた風光明媚な地域です。しかし京丹後市の合併は過疎化に拍車をかけ、宇川中学校の統廃合、ＡＴＭの廃止、地域に唯一のスーパーの撤退などを招いてきました。そうした中でも住民は知恵を出し、まちづくりを進めています。下宇川地域の宇川加工場は女性を中心に特産品作りと販売を行っています。上宇川地域は荒廃する農地を守ろうと宇川アグリ株式会社を設立し、圃場整備と稲作主体の農業を進めてきました。その努力に水を差すように、住民の反対を押し切って米軍Xバンドレーダー基地が建設されました。以後交通事故、自然破壊、騒音、電磁波被害等様々な問題を生み出し、住民の努力で移住者が増えつつある中、若者の定住を阻害する大きな要因となっています。

さらに、今回の学校再配置計画は、コロナ禍で、「地方回帰」が全国的な流れとなっている中、過去10年間の検証とともに将来10年、20年を見越した計画なのか多くの住民が疑問を投げかけています。

２０２２年2月9日文教厚生委員会で委員の会派離脱・交替という異常な中、陳情の「みなし不採択」、2月26日本会議最終日「再配置計画（案）」は強行採択となりました。

しかし、この間の取り組みの中で、「再配置計画」30ページに「適正配置については、一律に進めるのではなく、学校・学級の小規模化等の状況と今後の予測を基に、地域住民、保護者との丁寧な話し合いを重ね、理解が深まったと判断された場合、その実施及び時期を決定します」の文言が挿入されるなど、学校再配置計画に対する保護者、住民の願いを無視することはできない状況をつくったことは画期的な出来事となりました。

今後、「統廃合を決めるのは、保護者・住民の手で」を基本に宇川地域の街づくりの視点からも住民と保護者に寄り添い学校統廃合問題を考えていきたいと思っています。

ベトナムに学校を建設し野間分校の看板を掲げたい

弥栄町　昭和23（1948）年生
藤原　利昭

1996年12月25日、弥栄町議会は翌年3月31日をもって野間分校を廃校とする条例を可決し、同年7月には50年間にわたって子どもたちを育んできた木造の校舎が、取り壊され跡形もなくなりました。その後、野間小学校も2014年3月で廃校となり、2020年12月には丹後で最初の鉄筋コンクリートで建てられた校舎が取り壊され、荒涼とした校庭と体育館が残されています。

1995年7月、教育委員会は野間分校を本校に統合することを、野間区長会や野間小中PTAに再度提案してきました。教育委員会は、野間分校を本校に統合することが望ましいとする理由を、小規模校では「人格形成に問題が生じる」「社会性が育たない」「学力が伸び悩む」などとしましたが、これは1973年に初めて分校を統合する理由として提示したことと同じ内容で、野間分校で教育を受けた人たちは、社会性が低く人格的にも学力的にも問題があるとでもいうのでしょうか。廃校当時の中学生たちは、「私たちは欠陥のある人間に育ったのでしょうか」と心境を吐露しています。小規模校ではあっても、先生方の工夫や努力、地域住民全体の支援の中で、野間小中学校で育まれた子ども達は、どこに出しても恥ずかしくない人間に成長しているとの確信は、以下に述べる野間分校の存続を求める活動の原動力となったことは間違いないものと思っています。

分校統合の提案を受けてＰＴＡや区長会は、保育所の保護者や独身青年、地域住民等との懇談会・協議会等を開き、要求を聴き意見交換を行いました。１９９６年5月、教育委員会は「ＰＴＡは反対だが区長会は止む無しとの立場、この機会を逃すと統合は難しい」との要望書を有田町長に提出し、町当局と連携して統合に向けた動きを強めました。９月に入り区長会の中でも慎重論や反対論もでたり、各地区での議論にも変化の兆しが見え始めました。ＰＴＡと教育委員会との協議会では、ＰＴＡが「分校を残し弥栄町全体で学校選択の自由を保障し、不登校等の教育課題を解決すること」を提案しましたが、教育委員会は統合の方針を頑なに主張しました。私たちは、９月24日には「野間分校を残したい会」を結成し、懇談会や署名活動・情報宣伝活動を行い、可能な限り多数の住民と結びつくことをめざして、取り組みを展開しました。11月の終わりには、野間小中ＰＴＡ会員の80パーセント以上、保育所保護者・高校生と独身の青年の中でも80パーセント以上、住民有権者の62パーセントの人たちが、野間分校を残してほしいという意思表示をしました。「会」はチラシを連続して発行し野間地域には手配り、弥栄町内には新聞に折り込みました。弥栄町内には「野間分校問題を考える会」が発足し、野間分校問題は「教育と住民自治の問題」であるとの立場から、独自のチラシを配布するなど支援の輪は広がりました。

12月2日の行政とＰＴＡの話し合いは、「統合については白紙の状態である」「直接の関係者から意向を聞きたい」と町当局からの申し入れで行なわれ、助役は「統合については いまだ地区住民ともＰＴＡとも合意を得るに至っていない」との認識を表明しました。にも関わらず12月10日の夜に有田町長は、「１９９７年４月１日から野間分校を本校に統合する条例を12月議会に提案する」ことを、ＰＴＡ会員を前にして一方的に通告しました。その後も有田町長は、「分校があることは人並みではない」などの暴言は吐き、「統合は総合的に私が判断した」として、住民の意向をまったく省みようとはしませんでした。12月議会に提案された野間分校を本校へ統合する条例案は、駆けつけた多数の住民の傍聴者が見守る中、充分な審議もなされないまま、無理解と偏見に満ちた議員の賛成多数により強行可決されました。「野間分校を残したい会」は、12月27日に声明を出し、町当局と賛成議員の暴挙を告発すると共に、統合の具体化にあたっては子ども達と父母・住民の要望を実現するよう強く求めました。

野間分校最後の卒業生３人は、廃校時に残った生徒会費26万円あまりの取り扱いについて、「野間分校50年間に繋がるお金。歴代の先輩と私たちが山菜取りや椎茸を育てて貯えてきたお金。野間分校最後の卒業生となった私たち３人も、来年入学してくる後輩のために、フキ摘みなどをして残高を増やしてきたお金。どんなに困難な条件の下でも、仲間とともに学び育ててきた野間分校の心を残すためにこのお金を使いたい」「世界中にいる厳しい社会条件の中で『学ぶ場』を求めている人たちのために役立てたい」との考えを表明しました。

こうした子ども達の意向を尊重し生かすために、野間分校に在職されていた先生方や暁星高校の関係者のみなさん方にお世話になり、フィリピン・マニラ市の聖母訪問会を通して、ベトナムのカトリック教会の進める学校整備プロジェクトへ、「野間分校の校札を掲げること」を条件に、生徒会費の残高26万円を含む60万円を送金することにしました。卒業生の父母は「ベトナムに野間分校を建てる会」を作り、義援金を募る活動を始めましたが、「野間分校の名前を使ったり校札を掲げることは了解していない」という教育委員会からの申し入れがあり、結果として義援金を集めることは断念し、保護者で負担することとなりました。

現地の関係者との協議も進み、支援金が活かされて校舎が建設されています。残念ながら野間分校の校札を掲げることができませんでしたが、「野間分校の誇り」「野間分校の心」は間違いなくベトナムで生き続けていると思っています。

支援金が活用されたベトナムの学校

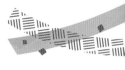

「丹後文化会館」の建設運動について

峰山町　昭和3（1928）年生
岩崎　晃

丹後文化会館は1980年4月23日にオープンした。それまで音楽活動を支えてきた会場は、峰山小学校の講堂と、1965年に建てられた丹後織物福祉センターであった。単に芸術や演芸を鑑賞するだけの受け身の文化でなく、地域の人々自ら参加し文化活動が気軽に取り組めるよう、そしてすばらしい地域文化が育ち続けるようにとの願いを込めた施設を求め、住民運動がおこった結果、実現にこぎつけたのだった。

1970年「丹後住民議会」で丹後文化会館建設要望の機運が高まる中、同年10月「丹後文化会館」建設要求の住民運動の呼びかけが教職員組合中心に進められた。

文化団体を中心に「丹後に1000人ホールの文化会館を」の運動がすすめられ、1971年丹後文化会館建設推進協議会（会長伊達一男　68団体と個人）が2万人の署名を集め、丹後6町町長とともに京都府に建設を要望する。峰山町を皮切りに丹後旧6町議会において「建設要望」の決議も行われる。1971年12月定例府議会において6町長・6町議会議長・建設推進協議会連名の「建設要望請願書」の趣旨採択がされる。1976年10月、京都府知事は丹後文化会館早期実現の意向を表明し、1978年9月、府補正予算に「丹後文化会館建設費」、1980年4月23日に丹後文化会館がオープンとなる。

丹後地域は農、漁業破壊の政策によるいち

じるしい過疎化に苦しんでいた。そのなかで丹後の住民は、経営とくらしを守る産業の振興と、地域の開発を切実に求めていた。

とくに丹後地域は、地方自治体財源の圧迫のなかで、財政能力の弱い各町においては、社会・文化施設がきわめて貧弱であり、ことに多数の住民が収容できる集会施設、充実した文化施設として、福知山、綾部、舞鶴、宮津につくられている市民会館のような施設がまったくない。このためにふるさととくらしを守る住民の大規模な集会をもつことができず、あるいはすぐれた文化や芸能に住民がじかに接することもできなかった。こうした社会、文化施設にめぐまれないことが、丹後の過疎化の一つの原因にもなっていた。

このような事情から、丹後で大きな集会を開くことができ、演劇、音楽、歌劇などの上演もできる施設として丹後文化会館が建設されることを切望し、同時にこれは、財政力の弱い丹後の自治体においては実現困難であることから、ぜひ京都府において建設していただくようにと要望運動をおこなった。

憲法第21条の言論、集会の自由、第25条の生存権の精神を丹後にうちたてる意味において、丹後文化会館の建設は大きな必要性と意義があった。この要望については、丹後の広範な団体、住民が2万をこえる署名に結集したのだった。

私のうたごえ人生
――丹後のうたごえ運動を中心に

峰山町　昭和19（1944）年生
谷川　正義

私が立命館大学合唱団「若者」に入団したのは1963年。入学式で男声合唱団「メンネルコール」の校歌を聴き、合唱団に入りたく、すぐ校庭へ申込みに行きました。しかし、制服のブレザー代に4000円必要と言われ、当時家からの仕送りが月1万円以内だったので、思い留まったのです。合唱団「若者」は知らない歌の合唱の連続。でも心に響いてくる、なぜか人をひきつけるエネルギーを感じました。しかも学生服で歌っている……！　すぐに「若者」のボックスを訪ねて入団手続きをしました。それがうたごえ運動を進める合唱団とはまったく知らなかったのです。私の人生の生き方を決定づける運命の赤い糸はこうして始まりました。

丹後では1961年、女工哀史の丹後版ともいえる「丹後織物闘争」が網野町中心に始まり、長期ストライキに突入しました。この中で「京都ひまわり合唱団」からうたごえ行動隊が支援に参加、東京から「中央合唱団」が網野公演を行いました。その支援集会では「がんばろう」や地元中学教師の創作曲「こみ上げる怒りを」などが歌われました。

「中央合唱団」公演を受けて、「峰山いさなご合唱団」や丹後各地にうたごえサークルが誕生し、1964年には同志社大学のサークル「むぎ」が夏合宿で丹後各町をまわり、峰山高校体育館に500人を集めて「丹後うたごえの夕べ」が成功しました。翌年から地元のうたごえサークル中心に「丹後うたごえ祭典」がスタートしました。私もこの祭典には、手伝いに参加しました。これが丹後のうたごえ運動の始まりです。

1967年、地元の信用金庫に就職して「いさなご合唱団」に参加した私は、丹後うたごえ祭典の事務局の中心として活動を始めました。「丹後うたごえ祭典」はその後「丹後合唱発表会」「みんなでつくる音楽会」と名称は変わっても現在まで、五十数年間続けられています。参加団体数も20団体前後、参加者も二百数十人と広がってきており、「みな音」として定着してきています。また、毎年「みな音」から推薦されて「京都府民音楽会」や「日本のうたごえ祭典合唱発表会」へ選ばれ出演する団体もあります。

1967年から2年間、合唱団「若者」は、弥栄町野間のお寺で合宿しました。野間の秋祭りで郷土芸能「太刀振り」の奉納が若者の減少で継続が難しくなっていました。そこで「若者」が地元の人々から教えていただき、その後、演奏会での演目となり、1968年には武道館での日うた祭典大音楽会に「若者」が「太刀振り」で地元野間の人も加わり出演しました。野間ではその後「太刀振り」は見事に復活しました。

また、私の住んでいる峰山町の丹波地区に古くから伝わる郷土芸能「芝むくり神事」（通称「チャー」）があり、これも関わる人が減少して、途絶えかけていました。私達もなんとか復活できないかと、歌詞を当時立命館大学文学部の文化人類学の専門であった林屋辰三郎先生の研究室へ持ち込み、研究員が丹後で、地域の神社や文献などを調査した結果、これは大陸から伝わって丹後から都にいって猿楽や能楽のもとになったものが、この丹後に古猿楽として残った、非常にめずらしいものだという事が判明しました。その後この地域で「芝むくり神事」はみごとに復活し、現在まで続けられています。

地域での郷土芸能などの取り組みの一方で、うたごえ運動の推進力である「歌づくり」が進められました。創作曲「想い出の校舎」は久美浜の田村小学校の卒業生であるうたごえサークル「オレンジ」の仲間が創り、丹後中で歌い広められ、歌い継がれています。他にも様々な地域の課題と結びついた文化行事等の取り組みの中でたくさんの歌が生まれています。

地域の課題や要求をもとに活発な文化運動の展開

○「おいで一緒にin上世屋コンサート」

過疎が進む丹後半島世屋地区で世屋中学校のクラスから「みんなでつくる音楽会」に参加した生徒が、その年のゲストで歌った黒坂正文さんに、上世屋小学校が廃校になるので、ぜひ上世屋に歌いにきてほしいと手紙を出し、「おいで一緒にin上世屋コンサート」が1974年にスタートし、丹後の様々なサークルとの交流も含めて10年間続けられました。

○「宮津線を守る文化のつどい」

全国でローカル線廃止の動きが強まり、宮津線も廃止の方向の中、国鉄のうたごえが組曲「俺たちのシルクロード」を創り、宮津線沿線でも1982年宮津線を守る文化のつどい「俺たちのシルクロード」コンサートが舞鶴からスタートし、宮津、峰山を始め、沿線各駅の会場で、北部のうたごえサークルと共に10年間続けられました。この中で創作曲「宮津線」が歌われました。

○ミュージカルメッセージ「夢おこせふるさと守れ天橋立」

1985年「天橋立環境会議」の文化行事として「夢おこせふるさと守れ天橋立」が創られ上演されました。すべてオリジナルの8曲からなる合唱構成をミュージカル仕立てで上演し成功。約50人の「夢ふるさと合唱団」で私は指揮を担当。当時、宮津火力発電所反対、久美浜原発反対の運動が起こっている中での上演でした。その中の「ふるさと」「夢おこせふるさと」などの曲はその後も歌い続けられています。

○「障がい者と共に作る文化の集い」

1983年国際障がい者年がスタートし、各共同作業所を中心に「障がい者と共につくる文化の集い」がその年から毎年開催され、多くの観客の参加のもと取り組まれました。私も副実行委員長として、主に文化企画を担当して参加し、二十数年間続けられました。多様なゲストと共に合同合唱、構成詩、劇など様々な表現の場に、障害を持つ仲間達が生き生きと参加し、その中で、「働けるんです私達」「生命の歌」など数々の創作曲が生まれました。

○ミュージカル「サウンド・オブ・ミュージック」公演の成功

1997年、丹後の人々中心にアマチュアばかり子どもも含めて約250人の出演者とスタッフで、2年がかりで練習や準備をはじめました。キャストも大道具、衣装、背景画も全部自分達で創り、私は財政を担当していましたが、どこからも補助金が出ない中、出演者、スタッフで毎月積立金を一年間出し合い、資金を作り出しました。宮津会館での2回公演はすべて満席で、アマチュアとは思えないすばらしい出来栄えと評価され、画期的な取り組みとなりました。

○「丹後平和健康まつり」での様々な文化団体との交流

1999年からスタートした「丹後平和健康まつり」は毎年300~500人の人々が集い、様々なサークルの出演や「平和踊り」など盛大に取り組まれ、今日のコロナ禍の中では、オンラインでの開催で、2021年は「ビリーブ」、2022年は「翼をください」を百数十人のリモート合唱で実現しました。

○「市民でつくる第九コンサート」
２００７年「京丹後文化のまちづくり実行委員会」のもと「丹後第九をうたう会」が発足し、私はその事務局長を務めて、10年間で3回の「市民でつくる第九コンサート」を成功させました。合唱団も丹後や宮津・与謝から１３０～２７０人の参加で成功し、画期的な取り組みとなりました。（「丹後第九をうたう会」は10年間の活動後に解散しました。）

60年にわたる私の「うたごえ人生」は現在も、退教互「たんごシワクチャーズ」や「新婦人うたごえ小組」など7か所を超えるサークル活動に参加し、継続しています。その活力源は学生時代からのうたごえ運動での経験や、「みな音」やサークル活動でつながった多くの仲間がいること、そのエネルギーや情熱の源泉が寄せ集められ、力になっているからだと思います。この力は今後、丹後のうたごえ運動に関わっていく多くの仲間が力を発揮し、さらなる継続、発展に繋がっていくと信じています。

2022年11月　みんなでつくる音楽会（アミティ丹後）

2016年退教互・たんごシワクチャーズ日本うたごえ祭典えひめ開催の全国合唱発表会

1998年ミュージカル「サウンド・オブ・ミュージック」

「捨て猫にも命」平和を考える

網野町　昭和19（1944）年生
井谷　實夫

捨てられ迷ったり餓死した猫を見かける。役所の猫引取りで、子猫や老い猫の命が奪われている。1年間に全国で殺処分される犬猫は、50万匹以上という統計もある。最近、親が子を、子が親を殺す事件が多発しているが、この現象は動物を虐待したり、餓え苦しんでいる猫をみても何も感じない人が増えている気風に起因しているようにも思える。

捨て猫を見るたびに、命の尊さや哀れさを感じ、地球上で最も賢いとされる人間の愚かさが目立つ昨今である。いつかの新聞投稿に、ひとりの児童が登校の列を離れ、脇道の石垣で暑さに苦しむミミズを見つけ、草むらに放してやったとの心温まる記事があった。どんな小さな生物にも動物にも命があり、祖先の命を繋いでいることを家庭でも学校でももっと教えてほしい。

国連食糧農業機関の発表によると、世界の飢餓人口は、何と9億人を超えているとのことだ。世界の人口の6人に1人が深刻な食糧不足と経済不況下で飢餓に苦しんでいる深刻な現状だ。

一方では、ロシアのウクライナ侵略にかまけて日本をはじめ各国が軍備増強に動くなど、危険な情勢がうかがえる。かって日本も軍国主義下にあって、戦争や原爆投下などにより、何百万人の尊い命が奪われ、奪った歴史がある。今こそ、平和を希求する大人社会の知恵・心ある政治が求められており、一人ひとりが政治に関心を持ち、行動を起こし、子どもたちにしっかり説明できる大人になりたい。

第七章

地域の願いと人々の営み

丹後町犬ヶ岬

地域要求を汲み上げる自治活動
木橋地区「ろばた懇談会」

弥栄町　昭和25（1950）年生
吉岡　隆則

木橋のろばた懇談会（ろば懇）は、1968年、京都府の社会教育の一環として、明るい暮らしとより良い地域づくりのための公民館活動として始まった。京都府では府下、150地域、丹後21地域、弥栄町では、木橋、溝谷、野間の3地区がろばた懇談会の指定を受け、府の援助を受けながら行われ、京都府の住民自治の土台つくりを目的に年数回にわたって行われた。木橋区では、ろば懇が始まると、公民館活動も徐々に組織が整備され、公民館長（区長）を中心として、4部（生活部、文化部、体育部、広報部）がそれぞれ部長を中心として年間計画が作成された。その中では、生活部がろば懇を取り組む担当となり、また、同時に広報部では、1969年から区の活動とともに、公民館活動を区民に知らせる『公民館報きばし』を発行し、区民全体へと知らせることとなった。ろば懇の取り組みは、大きく3つの柱で話し合いが行われていた。

①身の回りでみんなが気をつけること
②区内で改善したり、話し合って解決すること
③町（市）や府に要望すること

これを、9つの隣組で話し合い（隣組ろば懇）、隣組で話し合われたことを、区全体の総合ろば懇で、隣組長、各種団体の責任者が集まり、話し合って解決に向

けて取り組みを進めていくのである。その後、ろば懇の指定は、京都府政の転換とともに十数年で終わったが、木橋のろば懇は終わることがなかった。もちろん公民館活動もほとんど変わることなく続き、『公民館報きばし』は現在も発行され、ろば懇が始まってから五十数年間で、２５０号を数えるまでになっている。公民官報には毎年必ずろば懇で話し合われたことが記載され、どんな意見が出たのか、どのように解決していくのかが、詳細に記載されている。

このろば懇は、社会教育の一環としての、公民館活動の一つとして民主府政が提案したものであった。住民自治は、住民自らが主体者として自らの暮らしを改善していく取り組みである。従って、地域住民がみんなで協力しながら自分自身の暮らしをより良いものにしていく、協力共同の横のつながりを形成していく取り組みだった。しかし、府政が変わり住民同士の横のつながりが、上意下達の上からの指示によって政治が動かされるようになると、ろば懇を疎ましく思う住民も出てきた。

さらに、丹後6町が京丹後市へと合併されると、財政再建や効率化の名のもとに、住民自治は軽視され、行政からの上意下達で各地区の自主性がほとんど無視されるようになっていった。各家庭から1名ずつ集まり、区のことを話し合うろば懇に、組長が用紙を配布し、みんなが集まらずに文書で意見を集約する隣組が増えてきた。総合ろば懇も各団体や組長が意見を発表するだけのろば懇に変わりつつある。

しかし、『公民館報きばし』は、ろば懇や木橋の地区住民が創り出してきた住民自治の取り組みの歴史を残らず記録している。２００８年、この官報が第一号より再編集され、区民に配布された。２０２０年もろばた懇談会は継続され、木橋の歴史を官報に刻んでいる。

村の民主化をめざして

久美浜町　昭和5（1930）年生
岡下　宗男

僕の地域では慣例で12月20日に村のほぼ全員が集まり、区長、農会長、その他の役員の選挙を行う選挙会が催された。僕は父が高齢であったので、その前年からこの選挙会に出ていた。この年、区長に教組の副委員長をしていた田中先生が、農会長に僕が当選してしまった。

区長は何をするかというと、冠婚葬祭から氏神の管理、区有財産の管理、区内の道路などの管理などさまざまであった。当時は区には規約もなく、予算もなかった。「長帳」という半紙を半分に折って綴じた帳面に行事のたびに使った金額を記帳しておいて、年二回の「賦銭割り」の日に計算して集金していた。その割り方についても、戸別割平、均割、反別割とあり、事業によってそれがさまざまに変えられるというものであった。経験のない初心者にとっては、それは本当に大変な事であった。

また、農会長の仕事も、その頃はまだ稲の「ずい虫」の駆除にホリドールの共同散布が行われていたがそうした仕事や、農地全体の水路、農道の管理、それに「井根せき」や共済の集金など、こちらも初心者ではなかなかできそうでない仕事であった。

まず手を付けたのが、区の規約作りだった。規約を決めて誰でも区の役員になれるようにすべきだと話し合い、総会に提案、了承された。

新しく予算も作られた。年2回の「賦銭割」も改められて、毎月の常会で集金するような仕組みに変わった。

当時、久美浜町のほとんどの集落でも規約や予算制度などなかったようで、いくつかの集落から規約や予算についての問い合わせがあった。

農会は農協や役場から任命されたものではない、区民のための仕事だと、町や農協からの仕事依頼を場合によっては拒否する事もあった。たとえば、水稲の共掛金は高いにもかかわらず、水稲の被害などはほとんどなく、集金事務は村でするよう求めた。

また、メリーテーラーなどの大型農業機械に対して償却資産税をかけられた。「僕達の作った農産物に対してはちゃんと税金がかけられている。その農産物を作るための機械に対しても税金を取るなど二重課税みたいだ」と署名用紙を作り、区内の全戸から、署名し共に川上地区の農会長会にも問題を提起し、川上地区でも署名を集め議会に請願したり、町長に要請した。これも成功し「償却資産税に対する課税」はなくなった。

こんなことで僕達の役員の1年も終わった。その頃には、僕達に対する信頼もだんだんと高まってきたようであった。

次の年も吉田先生が区長に選出され、以来、僕も2回ほど区長をした。

画期的だったのは、国営事業として基盤整理をする地区にパイロット地域として指定されたことだ。この事業は川上地区全体を包み込む大規模な事業であったが、僕達の新庄の地域は隣の海部地域と境を接している事もあって、一番初めに手がける事になっていたようであった。当時この「国営事業」についてては小農切捨て政策になる、と全国的にも反対意見が強くあった。新庄の農地はまだ、耕地整理も一度も行われておらず、隣の品田の耕地整理された農地などと比べると不正形でしかも小さく、農作業には大変具合の悪い農地であった。農民の中には「この補助金をたくさん受けられる事業でぜひ、耕地整理をしたい」という意見も多かった。反対に「こんなことされたら、農地の交換分合するときに、家の農地はなくなってしまう」という小農の人たちの意見もまた、強かった。計画として示されていたのは、水田の一区画を30アールにし、農道については、幹線道路では幅員6メートル、普通の農道は幅員5メートルにするというものであった。これまでの新庄の農道については幹線でも、車力がやっと通れる程度、せいぜい3メートル程度、普通の農道では、人が並んでは歩けない程度の道路であった。この計画を説明会で聞いた村の人たちは「こんなことされたら、農地が少なくなってしまう」「これは小農切り捨てになる」と事業への反対を主張した。この事業の可否を決める臨時総会でまず僕達は3分の2の賛成で決めることを提案し、いよいよ採決になった。結果、「新庄区としてはこの国営事業に参加しない」という事が決定された。

ところが、その夜、総会が終わってから、僕たちと親しくしている農民の人たち数人が僕の家に来て、「総会であんなふうに決まったが、僕達は本当はこの機会に耕地整理はしてほしい。ただ、一区画を30アールにするということや6メートルの幹線道路、5メートルの農道などについては、それは困る」などといってきた。そこで、農地の一区画を10アールにし、農道の幅員を狭くする事、換地に際して、小農切捨てにならない対策を講じる事を条件に行政とかけあい、農地一区画について18アールにし、その他の要求については全部クリアしてもらった。そして、臨時議会で今度はほとんどの人たちが賛成し、新庄地区もこの国営事業に参加する事になったのだった。

東日本大震災ボランティア最初の一歩

弥栄町　昭和26（1951）年生
深田　和幸

２０１１年3月11日午後2時46分、東日本大震災が起こった。

おびただしい情報や映像にオロオロしながら、ボランティアに行こう、と思った。あれからまもなく10年の節目を迎える。

新聞で見た神戸の団体に連絡、7月12日午前7時、三宮発のマイクロバスに乗り込んだ。行き先は岩手県遠野市、沿岸部から離れた内陸部にある遠野だ。遠野までは、マイクロバスで13～14時間かかる（現在は高速道路が延びてもっと楽に行ける）。1日かけて移動するから、現地での活動は2日間だけ。

余震もたびたび起こる、ぎゅうぎゅう詰めの体育館での一夜を過ごし、朝を迎えた。

僕らは大槌町行きのバスに乗り込んだ。峠を越えると、仰向けの車や1階部分に水が入ってきたらしい家がいくつか見えてきた。釜石駅を過ぎ市街地に入ると会話がなくなり、バスの中を沈黙が支配した。家屋や店が骨組みを残して無残な姿を見せているのだ。その凄まじさに感覚がついて行かない。それぞれの人生を突然たち切られた人々がたくさんいて、そこにつながる人々もまたたくさんいて、それは僕の家族や生まれたばかりの小さな命であったかもしれないと突然に思ってしまった。泣けて泣けて仕方なかった。

大槌町では8月、川に灯籠を流して供養する。その河川敷を子どもが裸足で走り回っても大丈夫なように、津波で流されてきた石やガラス、泥などを取り除くこと、それが僕らの仕事だった。草むらに子どもの靴や服の切れ端を見つけたりして切なかった。

翌日は釜石市箱崎町へ。深い側溝に入り込んだ瓦礫やコンクリートの塊、泥を取り除いて水が流れるようにする作業。7月の炎天下。長袖長ズボン、防塵マスク、ゴーグル、長靴、厚手のゴム手袋を身に着けた上での活動だ。余震が起こるたびに高台に避難する。遅々として作業ははかどらないが、午後になって帰る時間が迫ってきてようやくちょろちょろと水が流れてきた時の感激！　フランス人女性がいた。カリフォルニアからリュック一つできた男子高校生がいた。パレスチナ料理を用意した方もいた。日本各地から、世界のあちこちからまったく見ず知らずの人が集まっての成果！　あの広大な被災地を頭に描くと、点にもならない距離の溝。後に「我々がやっていることは微力ではあるけど無力ではない」という言葉を知ることになるが、深く納得したものだった。

帰りのバスも14時間くらいかけて神戸に帰ってきた。帰りは参加者の感想交流の時間もあり、この4日間を改めて振り返ることができた。

そして10月11日、たくさんの人々に応援してもらい支えてもらって「ゆるボラ丹後の会」主催の第1回ボランティアが、峰山の市役所前から出発した。小学生から大人まで、いろんな立場の老若男女が4日間を共に過ごし、またそれぞれの場所に帰って行った。ボランティア先で出会った漁師さんと結婚し吉里吉里に住む女性もいる。

コロナの時代、他府県へのボランティアも行けなくなっている。それでも思いを馳せ忘れないこと、そして早い時期に大きく変貌した現地に立つのだと言い聞かせている。

地域の疲弊は、人々の心から……

丹後町　昭和31（1956）年生
山口　洋子

京都府最北端の地域である丹後町袖志に夫の実家があり、こんな所で子育てしたいと思っていた私は、2人の子どもを連れて夫と4人で移り住み、早や35年以上が過ぎました。きっと東京から一番交通アクセスも不便で、遠い町かもしれない。だからこそ手つかずであるがゆえに、海・山の自然に恵まれ、私の知る限りの日本や海外の風景と比べても、引けは取らない、すばらしい景観の町だと思う。

しかし、いざ生活となると、日々の暮らしは厳しく、少子・高齢化に歯止めがきかない現実がある。

3年ほど前、宇川地区唯一のスーパーが、突然の閉店予告を告示！「さぁ！　大変だ。困った！」

どこで買い物したらいいのか？　車の運転ができない高齢者の方々は、日々どう暮らしていったらいいのだろうかと……。

以前から市営バスや、Uber《ウーバー》アプリを活用した「支え合いタクシー」を利用してそのスーパーへ買い物に出かけられる方々と関わりのある私は、大変な事態だと思いました。

すぐ様、宇川加工所メンバーと共に行動を起こそうと、当時の区長会などに「買い物できなくなる方々の立場に立ち、地域ぐるみで考えてほしい」とお願いしましたが、返ってきた返答は「こんな地域では仕方がない」「儲からないから、企業が撤退するのに次の企業が来るはずがない」と悲しいほどあきらめムードの意見しか聞こえてこなかった。

この地域で暮らしている自分達の10年後、20年後を想像してほしいと私は思いました。

これが「地域の疲弊」そのものであり、人々の「心の疲弊」へとつながるんだと思いました。今この地域で暮らす人達の、本当に困っている心の叫びに寄り添うことさえできないのかと。あまりにもお粗末で、人々のこれからの暮らしに対しての想像力のなさに、私は愕然としたのを覚えています。

あきらめからは何も生まれないし、そんな地域に行政も手を差し延べてはくれない。

自治区の果たすべき役割は、一体何なのかを問いたいと思いました。しかしそんな中でも、この地域の課題を何とか解決したいという私の考えに賛同して下さる方々と共に、ひとつひとつすべて手作りで行動をおこし、現在の移動スーパー実現へとつなげることができたのです。当時の移動スーパーのオーナーの理解はもちろんですが、その後の私達の行動がきっかけで、市民局はじめ行政の後押しもいただき、現在の週1回の宇川と豊栄方面の移動スーパーが実現しました。その移動スーパーも一民間企業とはいえ、私達の想いに答えて頂いて、地域を支えて下さっている良きパートナーです。

ある方が買い物に来られ、こんな言葉を私にわざわざかけて下さいました。「私達がひとつでも多く買い物することが、応援になるんですよね！」と。本当にうれしいひと言でした。そしてその言葉で救われた気持ちになりました。私にかけられる言葉の中には、心ないひと言もありましたが、有難いそのひと言で、勇気とやる気を頂いたと思っています。しかし残念なことに、その一年後、今度は宇川唯一のＡＴＭのひとつが閉鎖されたのです。

「地域の疲弊」に、また大きな拍車がかかりました。しかし私達は新な挑戦をはじめたのです。宇川の観光資源である「宇川温泉よし野の里」への参入です。新しい指定管理者のオーナーは、私も所属する丹後町のために気張ろうで！と立ち上げた、ＮＰＯ法人「気張るふるさと丹後町」のメンバーのおひとりでした。「キッチン高嶋」による宇川の美味しい食材を利用したお弁当販売を中心とし、小さな飲食店を宇川温泉内に２０２１年４月にオープンさせたのです。

　そのお店も今まで私を支えて下さったメンバーに支えられています。そして今後の宇川の将来を考えて若い力をどんどん取り入れています。

「ようやるわ！」ときっと私のまわりの方々は思っておられることでしょう！　本当にその通りだと思います。

　今の夢は、この事業を宇川を大切に想って下さる若い方々へつなげることだと思っています。皆さん！　応援よろしくお願い致します。

バイキングスタッフ

イベントでの販売

犬ヶ崎トンネル

丹後町　昭和22（1947）年生

長田　康江

間人生れの私が平の人と結婚し、40年以上たちます。丹後に帰省する度、犬ヶ崎トンネルを通り、トンネルを抜けると、美しい丹後松島の景色が目に入り、宇川に帰りついたことを実感します。今は亡き義母（長田光子）が「このトンネルは私が婦人会の役をしている時、田中文子先生達と蜷川知事さんの所へ陳情に行ってできたもんやで」と何度か聞かされました。そう言われると、私の高校時代は宇川方面の人は、冬の間網野高校の付近に下宿していました。今のように自家用車のある家はほとんどない時代で、丹海バスは地域の重要な足でしたが、雪が積もると乗原峠が越せなくて、よく不通になっていました。特に宇川方面の人にとってはトンネルは冬の生活を左右する重要な存在だったのだと気付きました。

昭和57年にトンネルが開通し、交通の便がよくなり夏の海水浴、冬のカニと観光客も増え、丹後も賑わっていました。私の嫁ぎ先も民宿をして、大勢のお客さんが来てくれていました。義母にとって、自分も陳情に参加し、開通したこのトンネルは誇りだったのだと思います。

今は網野高校まで自家用車で送迎している家も多く、ほとんど空席のまま走っている丹海バスを見るにつけ、もうあの賑わいはもどってこないのかと、さみしく思いますが、丹後の美しい景色は健在です。帰省のたび四季折々の顔で私を迎えてくれます。

蜷川知事のテープカット

丹後半島一周道路の開通

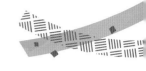

田植え今昔

丹後町　昭和19（1944）年生
平賀　喜久子

私が生まれたのは1944年、家族は祖母、父、母、私、弟3人の7人。私が小4の夏に祖母が亡くなった。末弟が1才の時だった。この時から私の家事と田畑の手伝いが始まった。

その頃はかまどで薪を焚いてご飯、おかずをつくった。風呂水は近くの井戸から汲み運ぶ。

弟のおむつは近くの川に洗いに行く。洗たくは川上で足踏み洗い。全て私がするわけではないが、かなりの部分はやってきた。

父は今自衛隊駐屯地になっている所にあった米軍駐屯基地に大工として働いていた。

家に帰れば大工として頼まれた仕事をしなければならない。とても忙しかったがお金にはならないようだった。我が家の晩ご飯は8時より早いことはないので、下の弟はいつもご飯の途中で寝てしまったものだった。

わずかながら現金収入があり生活は恵まれていたほうだと思う。しかし私は弟の子守をしながらなので、みんなと一緒に遊ぶことはかなり制限された。

村には大勢の子どもがいてグループ遊びをしていたが、子連れは参加させてもらえない。弟が3才になったら中浜の飛保育所に通いだした。私は毎朝自転車の後に乗せておくった。帰りは上の弟と歩いて帰ってきた。

ちょうど今Xバンド基地のあるところを、

水田にするための工事が行われていた。工事に加わっていた人達は「小さい子が毎日よう通うなぁ」と感心していたらしい。

私は田んぼや畑の手伝いをいろいろやらされた。文句を言うと「うちにはおじいさんおばあさんがおらんから」と母の一言。その頃は今より田植えの時期は遅かった。４月ごろ、田起こしが始まる。

牛を飼っている家では牛に鋤きをつけてやればいいが、牛のいない家では全て手作業だ。「またぐわ」と呼ばれる細長い歯が三本の鍬で昨年の稲株を一つづつ裏返して行く。

いくら当時の小さな田んぼでも、大変な重労働だ。大人はそれでも慣れているが、まだまだ力仕事をしたことのない私は、たちまち手のひらに豆ができてつぶれる。手袋などない。毎日行くわけではない。子どものことだからたいして手伝いはできなかったと思う。しかし仕事の量より母は話相手がほしかったのかと今は思う。

「荒起こし」と呼ばれるこの仕事が終わると、次ぎは平鍬と呼ばれる一枚鍬で細かくだく。力はあまり使わないが退屈な作業だ。

苗代を作り籾を撒き苗を育てる。今のようなハウスはもちろん油紙で覆うこともなかったから発芽は遅かった。その間畦の草刈り、水路の整備全て手仕事だからゆっくりする暇はない。やっと田植えの準備。こればかりは牛の世話にならなければならない。牛を借りるのだから大変だ。誰でも貸してくれるわけではない。相手の仕事の都合も考えて大変なのだ。牛の食べる草にも気を遣い、飼い主によって好みが違う。本当に大変だ。

やっと田植えが始まる。当時は「田植え枠」と呼ばれる木の定規を使った。大体３メートルぐらいの長さだったか。櫛状に棒がついており、それに印がつけてありそこに苗を植えて行く。山間の田には７寸、平地には８寸が使われた。

山間田はあまり生育がよくないので数多く植えて少しでも収穫を増やしたいとの思いだったらしいが果たしてどれほどの効果が

あったのやら。子どもの手伝いはここまで。

暑い炎天の下田んぼの草取り、水の管理草刈りと、いまでは考えられない重労働だった。この後田植え枠は田植え縄になり、牛は小さな耕運機になり、また山間部の田は放棄され、小さな田んぼは少しづつ大きくなっていった。

ここに書いたのは昭和30年代のことだ。ずい分昔のことで子どものこととてどれだけ正確なのかわらない。大体こんなものだったと思う。

海と山のあいだで暮らす

丹後町　昭和55（1980）年生
井上　理沙

「弁当忘れても傘忘れるな」

はじめて丹後の地に足を踏み入れたのは、この地方でそう囁かれる、風の吹きすさぶ晩秋でした。二度目に訪れたのは早春。そこかしこに顔を出す蕗の薹の明るい黄緑色に根拠なく、この地で暮らしていける。きっと大丈夫！と前向きな気持ちになったことを、今でも昨日のことのように覚えています。

私達夫婦が移住を決断したきっかけは、炭焼きと無農薬の米作りをしている先輩夫婦との出会いと、開発の手が及んでいない、丹後の自然の豊かさでした。実際にここで暮らして感じること。過疎の地に次から次へとやってくる様々な問題。ほんとうに未来でこの地に生きる人達のためになるのだろうか？と日々考えます。丹後での新生活を始めた当初、電気の通わぬ暮らしをしていました。お米を作り、野菜を育て、自分達の暮らしにこそ重点を置き、集中しよう。そう決めて、一時は世の中のニュースも知らないような暮らしでした。しかし、この地で新しい命を授かり、ただ自分達の暮らしを営むだけでは失ってしまいそうな地域の様々な問題に直面して、今は多くの方と交流を持ったり、情報や想いを発信しています。本音を言えば、暮らしに集中したい。でも、後悔したくない。その二つの思いがシーソーのようにいつも自分の心の中で揺れています。

先輩夫婦以外、誰も知り合いのいなかった宇川に、今では大好きな人達がたくさんできました。京都のはしっこ、京丹後でも一番はしっこの宇川ですが、戻ってくる家族、新しく移り住む家族も増え、年々私達のまわりに明るい笑顔が増えています。

若い頃、様々な地をふらふらと放浪するような人生でしたが、未来への可能性を感じた地域というのは、移住者は先住者を尊敬し、また先住者は、移住者のもたらす新しい息吹を受け入れ、お互いに気持ちよく、よりよい地域をめざす……そういう空気が満ちていました。そういう地域に人はきっと、戻ってくる。

丹後は古代米発祥の地と言われます。私達も、先輩夫婦が育ててこられた黒米（正確には紫黒米）を、先人達が築きあげお二人が受け継いでこられた棚田で一緒に育てています。私達も、次世代に引き継いでゆけるよう、がんばっていきます。

黒米の稲穂が風に揺れる姿を見るとき、太古よりこの地で受け継がれてきた人と自然の調和した優しい暮らしが、いついつまでも続くよう願います。

丹後町久僧地区

スマホで配車。マイカーを使った住民タクシー『ささえ合い交通』

丹後町　昭和29（1954）年生
東　恒好

２００８年まで丹後町にはタクシー会社があって、電話一本でタクシーを呼ぶことができました。ところが、会社が「採算が取れなくなったので中止にします」とのことで、町民は大変困っていました。

そこで２０１６年5月、丹後町において住民がドライバーとなり、マイカー（自家用車）を使って地域住民や観光客を運ぶ公共交通である「ささえ合い交通」が運行を開始しました。運行の主体はＮＰＯ法人「気張る！ふるさと丹後町」であり、道路運送法に基づく「住民タクシー」といえる運行です。

利用者が車を呼ぶには、スマホでＵｂｅｒ《ウーバー》のアプリを使って配車するという、日本初のデジタルシステムを取り入れたものです。これまで住民や観光客の好評を得て２０２２年5月には運行6周年を迎えました。

『ささえ合い交通』の運行概要

スマホを使いＵｂｅｒのアプリで配車するという「デジタル化」を実現した公共交通（自家用有償旅客運送）で、毎日運行しています。

配車依頼は、Ｕｂｅｒのアプリを使って直接配車します。スマホを持っていない高齢者を考慮し、電話をかけて配車してもらう「代理配車制度」もあります。運賃の支払方法は、アプリに登録した「クレジットカード」で支払う「デジタル決済」が基本ですが、高齢者を考慮し「現金支払い」も可能です。

運行時間は、午前8時～午後8時まで、年中無休で運行しています。利用者は、丹後町民および町外からの観光客などだれでもすぐに利用できます。ドライバーは地元の住民が務め、ドライバー個人が所有するマイカー（自家用車）を使っていることから「住民タクシー」ともいわれます。

『ささえ合い交通』の良い点

Ｕｂｅｒのアプリを使うので、電話受付などの事務作業が不要なため、人件費の負担がなく済みます。

利用者は、アプリで行きたい時に即配車して移動できます。

また、ドライバーも、Ｕｂｅｒアプリを使用し、「オンライン」と「オフライン」の切替で「運転する」「運転しない」の意思表示が簡単です。

マイカーとスマホを使うのでどこでも待機でき、女性もドライバーとして活躍しやすいです。

遊休資産と言える日頃使われていないマイカーを活用することで、ライドシェア型運行が実現されています。

行政コストの負担がゼロであり、補助金なく運行しています。また、ドライバーが所有するマイカーを利用するため、車両購入費も不要です。

通院や買物の移動において、ドア・ツー・ドアで移動できて大変便利であり、特に高齢者の利用が多くとても役立っています。

Ｕｂｅｒアプリは、世界の多言語に対応しているため、外国人が利用しやすく、「インバウンド」の観光振興に貢献しています。

運行開始から今日まで、北海道から沖縄県まで各地の移動問題に困っている自治体や民間団体および大学等が視察に２５０件以上来られており、関心の高さを感じます。

2分の1成人式から広がる丹後ちりめん

丹後町　昭和29（1954）年生
東　正彦

令和2年2月17日の京都新聞に「着物姿四年生　感謝や抱負、丹後小で『2分の1成人式』」と、大きい見出しで写真と記事が載っていました。私は急いで切り取り、スクラップに張りました。実は私の故郷は丹後で、丹後小は母校なのです。

早速、この記事について間人の母に聞いてみました。

京丹後市内の小学校4年生は「丹後学」として「丹後ちりめんの学習」に力を入れていることを知った母は、大切な地場産業なので何か応援できることはないかなぁ、と考え続けていました。最近の小学生は丹後ちりめんの布を見たり着物に袖を通すことはほんとうに少ないので、学習も大切だし、実際にちりめんの着物を着せてあげて体験してもらったら生きた学習になる、と思い立ち、近所の友達に相談して2人で「丹後ちりめんの文化と歴史を学習し体験する会」を立ち上げ、ゼロから出発しました。4年生全員分の着物・帯・袴などの調達と、短時間で全員の着付を仕上げてもらえる美容師さんの確保など次々と難問題にぶつかり、潰されそうになりました。でも4年生の学習のため、丹後ちりめんの振興のためと気持ちよく、多くの方々に助けていただき、学校の意向を大切にしながら続けているとのことでした。

私は長い間、京都で小学・中学・高校の教師として働いてきたので、「地域の大切な地場産業を教育の現場でどう位置づけるか」は重要な課題としてずっと考えてきました。

今回の「丹後ちりめん」の記事も、とても参考になりました。

その後、母と一緒に網野図書館へいった時、高龍小の4年生男子生徒さんと、そのお母さんが車の傍へ走り寄ってきて「先日は学校で丹後ちりめんを着せていただき、とても楽しかったです。忘れられない想い出になりました。ほんとうにありがとうございました」とお礼をいわれて、私達はとても驚き、うれしかったです。

丹後ちりめんを身にまとい、自分の思いを手紙にして希望や家族への感謝へとつなげ、発表する生徒や、涙ぐみながら聞き入る父兄の姿の新聞を読み返しながら、故郷、丹後や、子ども達のすこやかな成長と発展を心より祈っています。

螺鈿を織り込んだ丹後織物（提供／民谷織物）

丹後6町合併について住民投票を求める取り組み

大宮町　昭和5（1930）年生
小谷　正一郎

2000年代はじめの不況で自治体は深刻な財政難を来たし、合理化の嵐の中で大規模な合併が全国的に進行していた。いわゆる「平成の大合併」である。丹後6町も合併へと進んでいた。

2003年6月16日、「6町合併について住民投票を求める大宮町の会」が結成された。会は議会へ「6町合併の住民投票条例制定」を求める直接請求署名を集める取り組みをした。

会の代表者には、たんご協立診療所の北村勲所長が当たられ、請求代表者には山際昭三、山添義博、小谷正一郎、清水澄明の4人が選出され、事務局長に町議会議員の井上信幸氏が担当された。

会は丹後職業訓練センターで署名出発会を開催し、翌日から行動を開始した。三坂地区では岡田幾雄区長を先頭に、多くの区役員が一斉に行動されて区内の署名が進んだ。

6月24日から7月24日まで、地方自治法に定められた1ヶ月間、署名活動の受任者となった179名の人達ががんばって3220名の署名を集めた。署名者はそれぞれ住所・生年月日・氏名を自署し、捺印をしなければならず、その一つが欠けても無効となるため、集めるのが大変であった。このような過酷な条件下であったにもかかわらず有権者の37・4パーセントもの署名を集めたのは驚異に値することであった。

住民投票は、「大宮町がなくなってしまうかどうかという大変大切な問題を住民の意思を問うことなく、なし崩しに決められてしまうことは納得できない」「私たちにも賛成か反対かを一言いう場をつくってほしい」という思いで進められた。合併の是非に関わりなく、「地方自治の主人公は住民である」という原則を問い直すものであったと言ってもいい。思想信条を超えて多くの方が賛成した。

大宮町は他町に比較して大変きめ細かく行政による説明会が行われた。その中で、はじめは「合併の是非を決めるのは町民の皆さんです」「合併協議会では是非も含めて議論します」という意味のことを再三言われた。しかし、結局町民が是非の意思表示をする機会はなく、終わりの頃には「懇談会」と名前は変わったが、中身は説明を受けて質問をするという「説明会」の域を出なかった。

このことが多くの町民を納得させない背景になっていた。

署名の取り組みの中で、ほとんどの方が「住民投票をして決めるのなら、結果はどうなろうとも、皆の意見で決めるわけだから納得できる」と話しておられた。

断られた方の中で目立ったのは、「住民投票には賛成だけれども、名前を出すのは困る。子どもの、あるいは孫の仕事の関係で」とかあるいは「私の仕事の立場上名前が出ると困る」という理由がかなりあった。いつでもどこでも何の気がねもなく自由にものが言えるという状況こそが、憲法が保障している状況であり、民主主義の基本である。もし、もっと自由に、きがねなくホンネを出せるならばさらに賛成が多くなったのではないかと思う。合併に賛成の方も反対の方も含めて、多くの町民の皆さんのホンネは、自らの意思を表明できる住民投票に賛成だと考えていいのではないかと思う。

取り組みのなかで、「住民投票は間接民主制の趣旨に反する」という意見があった。しかし、住民の意思を正確に反映するには、直接民主制がベストであることはいうまでもない。また、住民投票の結果は議会に報告され、議会でさらに議論されて可否が決められるのだから、議会の権限を侵すどころか、正確な資料を提供し、議会の働きを支援し、より確かなものにしていくものだと言える。

また、「住民投票を実施すれば、かなりの経費がかかる。この財政の厳しい時期にそんな無駄遣いはやめるべきだ」という意見もあった。本来、行政や財政の制度は、国民（地方自治では住民）の暮らしや人権を守るためのものであるはずだ。つまり、住民の暮らしや人権を守ることこそが目的であり、行政や財政の制度はそのための手段であるはずだ。ところがこの指摘では手段のために、目的である大切な住民の意思表示の権利を制限しようというのだから、本末転倒といわざるを得ない。

いかなる場合にも「住民こそ主人公」である。

これは憲法で言う「国民主権」であり（地方自治では「住民主権」というべきか）これは、憲法の言葉を借りるならば、動かすことのできない「人類普遍の原理」である。

多くの町民の皆さんは、合併に反対と言っているのではない。「この大事な時に私たちにも一言意思表示をさせてください」という至極あたりまえの、しかも極めて控えめで、ささやかな要求を、きちんと法律に基づいて出す運動であった。

結果は請願は否決され、合併が進められることとなったが、運動のなかで住民自治の大切さを学ぶ貴重な機会となった。

平地のお地蔵さん

大宮町　昭和25（1950）年生
常林　泰丈

平地の地蔵は、文政5年（1822年）の「文政の丹後百姓一揆」を起源として、天保3年（1833年）に造立安置された地蔵尊と思われる。当初は平地峠に出没する山賊を退治するためにといわれていたが、常林寺所有の古文書を紐解くと、次の通り類推される。当村出身の鈴木新兵衛（のちに養子に行き吉田親兵衛となる）の御霊を供養するため、造立されたと考えるのが普通であろう。文政の百姓一揆の義民吉田親兵衛が首謀者として処刑されたのが1824年であり、その10年後に時の常林寺八世円通勝音和尚たちの発願により、宮津市から出石町に渡る約7万5000余人より喜捨を求め、造立されている。ときの宮津藩に対して吉田親兵衛菩薩供養とは言えず、他の名文として一切衆生の苦を除く菩薩として、この地蔵尊を造立したと考えるのが、今になれば妥当と思われる。伝承によれば、100年前くらいより、常林寺檀家より世話人として7名くらいの方が毎年寒くなる前にモチ米の藁で編んだ蓑笠を着せ、親兵衛さん寒かろうとの思いで菩薩を弔い今日に至っている。

富か命か

弥栄町　昭和4（1929）年生

富田　宏

丹後半島に原発基地の無き幸は共産党議員団の友らのたまもの

「わが後に洪水起れ雷落ちよ」マルクスは資本主義を璧へて言ひき

意図的に世界のどこかに戦起し栄へ来たりぬ資本主義とは

全軍事力で日本を防衛するといふトランプ大統領の言葉の軽さ

わが丹後の経ケ岬に米軍の高性能レーダー設置せり二〇一四年

夜も響く米軍基地の騒音は岬の村の眠りを奪ひき

安保法案本気で阻止する覚悟なら総辞職せよ野党議員諸君

空慕れて黒き潮は波もなし米軍基地整ふ丹後の岬

アメリカに追随するよりすべなきか尖閣諸島も危くなりぬ

日本列島地震活動期に入りしと言ふ丹後は震災より九十余年経つ

事しあればすべなき地震列島に原発を設置せり五十幾つも

廃棄後も何時まで残る放射能日本は無視していたチェルノブイリの事故

富か命か原子力をめぐる政策に足るを知る知恵今は通らず

高浜原発再稼動を容認せり高裁の判断は何処より来る

パンドラの箱開けたる吾らに退路なし行くところまで行くにあらずや
親しかりし友ら次々遠ざかる今日届きたるはがき一枚
まだ生きてをりたいのかと言ふ何をこの野郎早く死によって
短歌バカの一人か百は用も無きに野菜売り場の前をうろつく
生きているだけかと思ふときあり生きねばならぬと思ふときあり
丹後を愛する君を心に編集したる「いろは歌留多」売れてよかりし

編集後記

丹後地方は、日本海に面した大陸の表玄関として早くから開け、海に里に山に多様な暮らしが営まれてきました。そのなかで、「合力」の気風と、矛盾や格差に声を上げる精神が育まれてきました。古《いにしえ》より、中央から一定の距離を置く独特の文化圏・自治権をもち、近代においても自由民権運動などで先駆的な役割を果たした先人たちがいます。

そうしたこの丹後の歴史に、どのように向き合ってきたのか、また、それぞれが今にどうつながっているのかを整理して一冊の本にまとめようと、志ある仲間が集まりました。仲間の高齢化などもあり、作業は決して楽ではなく、10年の時間を要しました。

作業を始めた当初は「日本が自分の生きているうちにまた、戦争に巻き込まれることはない」と信じていました。しかし、今や日本でも「新しい戦前」という言葉が聞こえています。ロシアのウクライナへの侵略戦争では、子供が、老人が、女性が、未来を担う若者が、街を壊され、生業を潰され、命を奪われ、それは対岸の火事ではないと心を痛めているのは、決して私たちだけではありません。

今を、「新しい戦前」にしてはならないとの熱い想いが、この編集の取り組みを加速させました。

お忙しい中、原稿を頂いた皆さんはもとより、ご協力頂いた方々に心から感謝申し上げます。
各分野、多岐に渡る取り組みを、網羅し尽くしたとは言えませんが、この本を一ページでも開いていただき、先人に学び、丹後の暮らしの隅っこから、また、新たな取り組みが始まることを期待します。

2023年 3月 吉日 編集委員一同

編集半ばにしてお亡くなりになった方々に、心よりご冥福を申し上げます。
石井智恵子様、坂根鈴子様、小国和子様、東理代吉様、松見禎紀様

丹後の年表

年次	国・内外の動き	京都の動き	丹後の動き
1783			1783～大凶作、江戸時代の三大飢饉のひとつ。天明4年10月９日午後8時坂井村岩手峠（久美浜）に数千人が集まり、石代銀上納御免など役所へ強訴
1863（文久3）			岩滝山家屋利喜蔵二と小室信夫幕末豪商マニュファクチャー志士として倒幕運動に参加
1867（慶応3）	大政奉還		
1868（明元）			久美浜代官所を官軍出張所と改める
1869（明2）			久美浜県においては貧民救済の目的をもって神野村甲山にて訳町歩の新田を開墾する
1870（明3）	平民に姓が許される		
1873（明6）	徴兵令発布		ウィーンで開かれた国際大博覧会に丹後ちりめんが出品
1874（明7）			小室信夫、板垣退助、江藤新平、後藤象二郎と共に「民選議院設立建白書」に名を連ね提出。丹後自由民権運動の指導者となる
1875（明8）			宮津藩校「礼譲館」出身者江藤正修、栗飯原議光、小室信介「天橋義塾」設立
1877（明10）	西南戦争始まる		
1879（明12）		コレラ発生、全国に蔓延し京都府下1404人死亡	
1880（明13）			天教義塾社長、沢辺修は府下の有志275人の総代として、国会期成同盟第2回大会参加のため東上し、国会開設。憲法制定等の諸請願を太政官に提出
1885（明18）			峰山の士族22名資金の貸下げを政府に出願し、ちりめん織物、検査、販売を開始し、養蚕、製糸、精錬工場を経営する

1889 (明22)	大日本帝国憲法制定徴兵令を公布		久美浜布袋野飯室岸蔵「川上青年研智会」結成活動
1890 (明23)	第1回衆議院の選挙京都府は7区に分けられる教育勅語発布		
1891 (明24)			徳光村成願寺に高等養蚕伝習所開設
1894 (明27)	日本清国に宣戦布告日清戦争始まる		
1899 (明32)			竹野郡深田村に農業講習所開所
1904 (明37)	ロシアに宣戦布告日露戦争始まる		
1905 (明38)			峰山の松田元治、「平等クラフ」青年組織結成
1906 (明39)			府立織物試験場が峰山町に設置される
1912 (明45)			このころ峰山町にはじめて電灯がつく
1914 (大3)	第1次世界大戦勃発		
1915 (大4)			網野町に電灯がつく
1916 (大5)			竹野郡鳥取～溝谷までの部落に電灯がつく
1918 (明7)		京都市内に米騒動始まる。コメ一升41銭から50銭に暴騰。全国に戒厳令	
1920 (大9)	第1回メーデー		・「三丹日々新聞」で岩崎琴治が社会主義思想宣伝 ・峰山で「電灯騒動」発生
1921 (大10)			大宮三重地区で永浜天紅による農民組織運動起こる
1922 (大11)	・日本共産党創立 ・平林初之輔参加し名を連ねる		弥栄町黒部出身・平林初之輔が「種まく人」同人となる。後プロレタリア文芸論で活躍する
1923 (大12)	関東大震災朝鮮人暴動の流言ひろがり朝鮮人の迫害がはじまる		

1927 (昭2)	昭和金融恐慌		丹後大震災。死傷者10400余人、内死者3587人、倒壊家屋26600余
1928 (昭3)	・第1回普通選挙 ・3・15事件で1600人が検挙 ・全日本無産者芸術連盟（ナップ）結成		
1929 (昭4)	・世界金融恐慌暗黒の金曜日 ・4・16事件で300人が検挙		野田川出身の長壁民之助、大阪で労働運動に参加
1930 (昭5)			「エミール」の訳者、平林初之輔死す
1931 (昭6)	満州事変		
1932 (昭7)	515事件		竹野川改修工事が完了。記念碑を矢田橋附近に建てる
1933 (昭8)	・日本国連脱退する ・小林多喜二獄死 ・佐野学、鍋山貞親が「転向声明」 ・京大滝川事件		
1934 (昭9)	野呂栄太郎獄死		
1935 (昭10)			
1936 (昭11)	226事件		
1937 (昭12)	日中戦争日独伊防共協定		宇川出身、倉岡愛穂が兵庫御影署で弾圧獄死
1938 (昭13)	・国家総動員法公布 ・学者・宗教者弾圧		
1939 (昭14)	・第2次世界大戦勃発 ・独ソ不可侵条約国民徴用例施行規則施行		
1940 (昭15)	・日独伊3国同盟 ・国民体力法公布。17歳から19歳男子の身体検査義務化 ・大政翼賛会発足		

1941 (昭16)	太平洋戦争開戦公民学校令公布		水野成ゾルゲ事件で連座逮捕下獄
1942 (昭17)			丹後中央病院開設
1943 (昭18)	・日本ガダルカナル島で撤退開始 ・学徒兵入営		・峰山出身、和田喜太郎が「中公横浜事件」で弾圧。45年獄死 ・大江山ニッケル鉱山の中国人12名栄養失調で死亡
1944 (昭19)	学徒疎開始まる		第2美保海軍航空隊峰山分遣隊発足。大宮河辺の飛行場となる
1945 (昭20)	・広島、長崎に原子爆弾投下 ・太平洋戦争終結 ・ソ連対日宣戦布告 ・米英ソによる「ヤルタ密約」 ・国連発足		
1946 (昭21)	・天皇神格化否定宣言 ・第一次農地改革実施 ・日本国憲法公布	・京都府教員組合結成 ・太田典礼総選挙出馬	・中郡教育会結成 ・中郡教職員組合結成
1947 (昭22)	・トルーマン・ドクトリン（封じ込め政策） ・独占禁止法施行	知事選挙木村惇当選	・農民組合結成（市場・野間・佐濃など） ・自由懇話会誕生（宮津地区知識人参加） ・熊野郡教職員組合結成 ・竹野郡教職員組合結成
1948 (昭23)	・ＯＥＥＣ成立 ・コシンフォルム、ユーゴ除名 ・朝鮮民主主義共和国成立 ・経済安定九原則発表 ・第1次中東戦争	・京教組結成 ・京教組二四時間スト ・第一回教育委員選挙 ・教育復興府民大会	・日本計算器労組結成 ・丹後中央病院労組結成 ・間人に定時制高校分校設置
1949 (昭24)	・ドッジライン、単一為替レート設定 ・ＮＡＴＯ成立 ・下山・三鷹・松川事件 ・中華人民共和国成立 ・シャープ勧告	・京都でのレッドパージに反対し京教組非常事態宣言 ・日本計算機労組首切り反対闘争	・日本計算器労組が首切り反対闘争。54人人員整理に反対しスト ・丹後町間人で共産町議誕生

1950 (昭25)	・米占領軍共産党中央委員追放指令 ・朝鮮戦争開始 ・警察予備隊創設 ・レッドパージ全産業に波及	・全京都民主戦線統一会議結成 ・京都市長選挙高山義三当選 ・京都府知事選挙蜷川虎三初当選 ・京教組分裂	・網野で共産町議誕生 ・府立網野労働セツルメント開館
1951 (昭26)	・日米講和条約安全保障条約調印	・京都総評結成 ・第一回京都教研	・峰山税務署事件 ・弥栄町野間小事件 ・与謝郡青年団結成大会 ・宮津青年会結成 ・天皇陛下丹後地方御巡幸。峰山中学校グラウンドで奥丹奉迎
1952 (昭27)	・血のメーデー事件 ・破防法施行、公安調査庁発足 ・アジア・太平洋地域平和会議	府教委弾圧反対ハンスト、弾圧を撤回さす	・破防法反対決起集会 ・弥栄読書サークル
1953 (昭28)	・朝鮮休戦協定調印 ・ソ連、水素実験成功発表 ・池田・ロバートソン会談	・京教組統一 ・高校生討論集会始まる ・南山城水害授検闘争	・網野地労協結成 ・網野第一回メーデー実施 ・奥丹平和を守る会大会峰山町 ・各家庭に蛍光燈普及し始める
1954 (昭29)	・ＭＳＡ協定調印 ・防衛庁自衛隊発足 ・ＳＥＡＴＯ結成	・府下41ヶ所で「子どもと教育を守集会」 ・旭丘中学闘争 ・京都府知事選蜷川虎三再選	・奥丹平和連絡会 ・熊野郡第一回統一メーデー ・中郡地労協結成 ・峰山地労協結成 ・三重農民組合結成 ・間人トンネル2期工事完成
1955 (昭30)	・アジア・アフリカ会議、平和10原則採択 ・左・右社会党統一 ・保守合同、自民党結成 ・ワルシャワ条約 ・神武景気	高校教育課題審議会「高校三原則を生かした京都プラン」決定	・大宮、峰山で第一回統一メーデー ・久美浜町職結成 ・第一回「奥丹後働く者の集い」 ・熊野地労協結成 ・周枳農民組合結成
1956 (昭31)	・日本国連加盟 ・ハンガリー事件 ・この年神武景気	・府「財政再建団体」に指定 ・知事、府教委、教育委員任命制反対表明 ・教育二法反対、教育を守る府下20ヶ所集会	・日本計算器労組、一時金闘争 ・弥栄町で第一回平和祭開催 ・第二回「奥丹後働く者の集い」 ・丹後町職結成

1957 (昭32)	・E・E・C創設 ・岸訪米「日米新時代」共同声明 ・ソ連、世界最初の人工衛星打ち上げ	・5月教研始まる・勤評反対闘争（11カ所）	・峰山町職結成・弥栄町職結成 ・丹工織物網野加工10日間賃上げスト12日間 ・丹後町織物労組結成 ・峰山セツルメント開設
1958 (昭33)	・第1回アフリカ諸国民会議 ・警職法改正案国会提出 ・世界恐慌ドル	・蜷川虎三三選・知事勤評反対を表明 ・勤評反対、5・3・2休暇闘争 ・京教組に刑事弾圧 ・警職法反対闘争	・大宮農民組合結成 ・勤務評定闘争（熊野・中郡・竹教組） ・弥栄勤労協結成 ・弥栄勤労協勤評問題座談会 ・同根織物労組結成
1959 (昭34)	・キューバ革命 ・フルシチョフ訪米、キャンプデービット会談	・山城高校闘争 ・京都平民共闘会議結成 ・府教育長「勤評は実施せず」と言明	・日本計算器労組賃闘 ・奥丹教組結成 ・各町に平民共闘組織化 ・久美浜町職賃金闘争
1960 (昭35)	・新安保条約強行採決 ・所得倍増、高度成長政策発表 ・81ヶ国共産党代表者会議を宣言	・鈴木教育長解任 ・京都教育センター創立	・竹野郡地労協結成 ・平和行進初めて実施 ・弥栄、久美浜町職賃上げ闘争 ・丹後中央病院労組賃上げ闘争 ・和田野織物労組結成 ・丹後町職再建大会
1961 (昭36)	・ライシャワー駐日大使着任 ・ソ連初の人間宇宙打ち上げ ・韓国軍事クーデター ・第8回党大会で綱領を確定	・高校全入運動強まる ・知事「一五の春は泣かせない」と言明	・鳥取織物労組結成 ・木橋織物労組結成 ・丹後町労働者協議会結成 ・網野織物労組、賃上げ闘争。一律25%ベースアップ ・大宮町母親大会初めて開く ・政防法粉砕、織物労組支援全丹後決起集会、織物労働者と教育を語る会 ・京都教育センター奥丹後調査 ・五十河・浜詰学力テスト反対闘争
1962 (昭37)	・米、南ベトナム軍事援助司令部設置 ・ソ連50メガトン級核実験 ・キューバ危機	・平和と民主教育を守る府民大行進 ・蜷川虎三四選	・農業構造改善学習会 ・丹後半島一周道路開通 ・学力テスト拒否闘争

1963 (昭38)	・ソ連部分核停条約に調印 ・ケネディ大統領暗殺	・市教委「進学ホール」設置	・38豪雪、大雪の為休校続出 ・米潜水艦キャプテン号宮津入港 ・全丹後働く婦人集会 ・一斉学力テスト反対闘争
1964 (昭39)	・日本、ＩＭＦ八条口に移行 ・トンキン湾事件 ・中国核実験に成功 ・東京オリンピック開催	・季刊「教育運動」創刊 ・原水禁世界大会京都で開く ・府教委、教職員の宿日直廃止	・丹後町豊栄農村労組結成 ・全丹後農民総決起集会 ・第一回奥丹母親大会 ・第一回丹後青年スポーツ祭典 ・第一回丹後うた声祭典
1965 (昭40)	・佐藤ジョンソン会談 ・米、北ベトナム爆撃開始 ・防衛庁「三矢作戦」明るみに ・インドネシア9・30事件 ・日韓条約強行採決	・府教育委員長「憲法・教育基本法を生かす」基本方針発表 ・府「ポケット憲法」発刊	・小笠原・沖縄返還大行進 ・憲法大講演会 ・日韓条約反対全丹後大集会 ・弥栄町で学校統合反対強まる
1966 (昭41)	・中国文化大革命 ・選挙制度審「小選挙区制」報告	・蜷川虎三5選。自民・民社連合破る ・民主教育を守る京都府民大集会 ・10・21スト突入	・民主府政推進協議会、丹後で180部落で組織化 ・宇川軍事基地反対闘争 ・食管共闘結成
1967 (昭42)	・革新統一美濃部知事実現 ・米ソ首脳グラスボ会談 ・佐藤・ジョンソン会談 ・沖縄返還問題で共同声明 ・ＡＳＡＮ発足	京都市長選に「全京都市民会議」の富井清が当選	・新宮津火力発電所反対漁民大会 ・丹後労農決起集会 ・川上農民組合結成 ・田植え機の導入盛んとなる
1968 (昭43)	・エンタープライズ佐世保入港 ・チェコ自由化問題でソ連・東欧軍介入 ・ＯＡＰＥＣ発足	・文部省、府教育庁不承認 ・勤評闘争、全員に無罪判決 ・「象のハナ子」上映運動	・「雪崩」公演 ・日進労組支援丹後決起集会 ・丹後労音結成 ・ベトナム人民支援の取り組み（1日分給与カンパ）

1969 (昭44)	・中ソ国境で武力衝突・南ベトナムの臨時革命政府樹立 ・米アポロ打ち上げ、人類月面に立つ ・佐藤・ジョンソン会談（沖縄返還・台韓生命線論）	・府教委「中学校学習指導要領」改訂で文部省に意見書 ・与謝ノ海養護学校開校 ・京都勤評裁判、無罪判決確立 ・京都府、米の減反反対	・丹後縦貫林道着工 ・安保破棄・沖縄返還統一行動 ・峰山町安保署名集中取り組み ・安保破棄沖縄全面返還要求全丹後決起集会 ・映画「橋のない川」上映運動始まる
1970 (昭45)	・ニクソン・ドクトリン発表 ・総合農政推進（米減反） ・日本万国博 ・安保固定期限終了、自動延長	「明るい民主府政をすすめる会」の団体と全国支援で蜷川虎三6選、自公民連合破る	・「明るい民主府政をすすめる会丹後連絡会議」158団体 ・「蜷川知事をはげます丹後大集会」 ・全丹後青年スポーツ祭典 ・第一回丹後文化祭典 ・府立丹後郷土資料館開館 ・府立与謝ノ海養護学校竣工 ・峰山カーホテル反対闘争始まる ・網野引原トンネル完成
1971 (昭46)	・一斉地方選、美濃部・黒田、東西革新統一知事当選 ・変動相場清実施１ドル308円 ・米、新ドル防衛政策	・「明るい民主市政をすすめる会」の舩橋求己が当選 ・京教組「部落解放と同和教育方針」発表	・丹後住民議会開催 ・丹後文化会館建設運動の呼びかけ ・丹後文化祭典
1972 (昭47)	・インドシナ平和・パリ世界集会80ヶ国参加 ・沖縄返還協定発効 ・日本列島改造論	・地財危機突破府民集会 ・京教組「革新自治体のもとでの民主教育と京教組運動の新たな前進のために」発表 ・「民主教育をすすめる府民会議」結成	・紀元節復活反対集会 ・日本計算器闘争支援動員始まる ・憲法施行25周年記念丹後集会 ・丹後平和集会 ・10・21ベトナム人民支援全丹後集会 ・弥栄町学校統廃合に反対するビラ連日行う

1973 （昭48）	・英などの加盟でEC発足 ・ベトナム和平協定調印 ・ウォーターゲート事件 ・メジャー石油大幅値上げ ・政府、石油危機で緊急事態宣言 ・第1次オイルショック	・反蜷川逆流「明日の京都をつくる府民会議」 ・第19回日本母親大会京都で開く ・学テ処分取り消し ・「全教職員と父母の団結を強める」方針提起	・丹後同和会20周年記念集会 ・米価要求丹後決起集会
1974 （昭49）	・ベトナム内戦再燃 ・ニクソン大統領辞任 ・田中金脈問題で首相辞任 ・オイルショック	自公民を破り蜷川虎三が7選	・蜷川知事奥丹激励集会 ・丹後機業オイルショック不況 ・丹後機業問題学習会 ・丹後機業共闘決起集会 ・第一回丹後地方府民のつどい ・八鹿高校事件調査団を丹後から派遣
1975 （昭50）	・一斉地方選挙黒田再選・美濃部三選 ・ベトナム戦争南ベトナム政府無条件降伏で終結	京都府教委到達度評価への研究資料発表	・丹後機業不況深刻化 ・久美浜原発対策協結成 ・久美浜原発シリーズ発行 ・科学者会議久美浜原発調査 ・原発反対大講演会
1976 （昭51）	・ロッキード疑獄明るみに ・毛沢東死去、華国鋒政権誕生	・不況、インフレから経営と暮らしを守る府民運動連絡会結成 ・南山城ゴルフ場問題	・3・28全丹後総決起集会 ・久美浜原発反対府民大集会（湊） ・韓国産絹織物の輸入急増する
1977 （昭52）	鄧小平復活	京教組結成30周年記念集会	・峰山農協府政貸付明るみに ・久美浜町長選、井尻武当選 ・丹後農業を発展させる会集会
1978 （昭53）	・1ドル200円割る異常な円高 ・日中平和条約締結	・京都府知事選挙で林田悠紀夫当選。「北部エネルギー基地（原発を含む電源立地）」「関西文化学術研究都市」構想 ・蜷川知事をたたえおくる府民集会 ・教育大運動署名	・民主府政推進丹後各界連絡会発足 ・3・12民主府政推進全丹後総決起集会

1979 （昭54）	・アメリカスリーマイル島で原発事故 ・ソ連アフガニスタンを侵攻 ・第2次オイルショック ・「臨調最終答申」と「新行革大綱」	・高校教育制度検討委員会設置 ・府新宮津火力発電所建設調査費計上	丹後碇高原牧場完成
1980 （昭55）	共産党排除の「社公合意」	京都府労働セツルメント廃止方針	
1981 （昭56）	・全国革新懇発足 ・第４回科学者会議声明	米駆逐艦舞鶴入港	久美浜シルバーハウス完成
1982 （昭57）	・老人医療有料化 ・共産党、不破書記局長が久美浜原発と関電の秘密の原発計画を暴露廃止に追い込む	林田悠紀夫、2期目当選	・寒波により豪雪 ・丹後半島一周道路国道に昇格する
1983 （昭58）	・臨調「最終答申」と新行革大綱 ・中曽根首相の「日本列島不沈空母」発言		・丹後1市6町国営農地開発事業着工 ・生糸一元化輸入撤廃・反対訴える政治ストで、織機10万台ストップ
1984 （昭59）	健康保険法（本人1割負担）、国保改悪、地方行革大綱	学研都市府計画	
1985 （昭60）	・労働者派遣法成立 ・プラザ合意と円高不況 ・国体京都開催 ・核兵器全面禁止・廃絶のためにヒロシマ・ナガサキからアピール ・臨時教育審議会（第一次答申）	京都市・京都府が庁舎に日の丸常時掲揚開始	
1986 （昭61）	・国鉄分割・民営化法案自公民強行「民活法」 ・ソ連チエルノブイリ原発事故 ・非核の政府を求める会設立趣旨書発表	荒巻禎一初当選	奥丹教組「日の丸問題ビラ」23回を全戸配布
1987 （昭62）	・リゾート法成立（自社公民） ・ソ連ペレストロイカ ・臨時教育審議会最終答申	京都府知事「京都食管」解消を示唆	弥栄町国保病院本館増築工事完成

1988 (昭63)	・消費税導入を強行（自民実施は89年4月） ・リクルート事件、明電工事件など金権腐敗が相次ぐ	・京都国体 ・京都府西野教育長「ムジナ」発言	・宮津線の第三セクター正式決定 ・教育集会６町で3000人超。丹後の元校長48氏の声明発表
1989 (平1)	・昭和天皇死去 ・中国天安門事件 ・東欧諸国の政権崩壊 ・総評が解体し全労連と連合が結成（ナショナルセンター分裂） ・学習指導要領で日の丸・君が代の義務づけ ・農民連結成大会 ・全労連結成大会	京都府教委の奥丹教組の破壊工作が激しくなる	・峰山町にマインオープン。丹後にも大型店時代 ・奥丹教組の教育署名が2万6283筆（有権者の過半数）
1990 (平2)	・沖縄県に太田革新知事誕生 ・ドイツ統一 ・株価の暴落のはじまり。バブル現象露呈 ・中東危機	・荒巻禎一2期目当選 ・「京都駅改築計画」	丹後半島沖で重油流出事故
1991 (平3)	・湾岸戦争開始 ・ソ連消滅宣言 ・自衛隊海外派兵法強行 ・全日本教職員組合結成大会		
1992 (平4)	・学校5日制スタート ・東京佐川急便の巨額不正融資事件	丹後リゾート公園予算化	
1993 (平5)	・佐川急便事件。金丸自民党副総裁逮捕 ・総選挙で「非自民」勝利し細川護熙（日本新党）が首相に ・小選挙区制政党助成金法案強行 ・米の自由化へミニアムアクセス米受け入れ決定 ・北海道南西沖地震	拡声器規制条例	丹後で自殺者多数

1994 (平6)	・村山内閣発足（自・さ・社）「公共投資資本計画」630兆円 ・年金支給開始65歳に改悪・消費税の税率3%から5%に引き上げ法強行 ・新進党結成 ・改正公職選挙法施行（小選挙区など） ・関西空港開港 ・被爆者援護法公布 ・子どもの権利条約公布 ・村山内閣、自衛隊合憲表明		
1995 (平7)	・阪神淡路大震災 ・地下鉄サリン事件 ・沖縄米兵少女暴行事件、沖縄県民総決起大会に85000人 ・ＷＴＯ発足 ・日経連「新時代の日本的経営」発表		
1996 (平8)	・民主党結成 ・金融ビッグバン	京都縦貫自動車道開通（沓掛須知間）	
1997 (平9)	・介護保険法成立 ・新進党解体自由党結成 ・アジア通貨危機 ・地球温暖化防止京都会議 ・消費税5%	地球温暖化京都会議	丹後国営農地開発負担金、軽減
1998 (平10)	・橋本内閣が銀行支援に30兆円投入 ・大店法	・荒巻禎一4期目当選 ・和装産業を初めとした伝統地場産業振興条例大綱発表	
1999 (平11)	・自民と自由の連立内閣 ・派遣労働原則自由化 ・周辺事態法 ・日の丸君が代法強行 ・公明党も政権参加 ・東海村燃料工場で臨界事故	府新行革大綱	
2000 (平12)	行革大綱で市町村合併推進方針	・「京都みやこ」「南京都」銀行破綻京都信用金庫への事業譲渡 ・小規模学童保育助成	

2001 （平13）	・米同時多発テロテロ特措法 ・小泉内閣発足構造改革路線推進不良債権処理	新京都府総合計画	
2002 （平14）	島根県沖貨物衝突事故による重油流出事故	・山田啓二初当選 ・南丹ダム建設断念	
2003 （平15）	・アメリカがイラク戦争開始。イラク特措法で自衛隊が米軍支援 ・三位一体改革で地方補助金削減（骨太方針） ・経団連奥田ビジョン、2大政党づくりめざす ・有事関連3法案成立	・地方振興局再編成案 ・中高一貫教育導入	
2004 （平16）	・鳥インフルエンザ騒動 ・年金改悪（保険料の10年連続値上げと給付引き下げ） ・台風23号 ・美浜原発で蒸気漏れ事故。5人死亡 ・有事関連7法案成立。自衛隊の多国籍軍参加決定	洛東病院廃止条例	・丹後6町が合併し京丹後市が誕生 ・市長選で中山泰氏（自民推薦）
2005 （平17）	・社会保険制度見直し ・郵政民営化 ・京都議定書発効	・地球温暖化防止条例 ・伝統産業振興条例	
2006 （平18）	・後期高齢者医療制度 ・改正教育基本法成立	・山田啓二2期目当選 ・台風23号	
2007 （平19）	・参院で自民大敗野党過半数 ・大学法人化法		
2008 （平20）	アメリカ発世界同時不況（リーマンショック）、原油高騰	鴨川条例施行	市長選で中山泰氏
2009 （平21）	衆院選自民大敗、民主党政権誕生。鳩山内閣成立	・税務共同化強行 ・与謝の海病院脳神経外科再開	

2010 (平22)	・ギリシャ・アイルランド危機 ・中国が日本を抜きＧＤＰ世界2位に	山田啓二3期目当選	
2011 (平23)	・東日本大震災、福島第1原発事故 ・シャスミン革命などアラブ民主化	中小企業振興基本条例大綱発表	
2012 (平24)	・消費税増税法強行 ・衆議院で民主党大敗。自公連立政権 ・安倍政権誕生	・与謝の海病院の法人化 ・府立病院附属病院化	市長選で中山泰氏
2013 (平25)	・特定秘密保護法強行 ・経済政策アベノミクス	京丹後袖志へ米軍Ｘバンドレーダー配備計画	
2014 (平26)	・消費税8%へ ・集団的自衛権行使容認を閣議決定	・丹後経ヶ岬のＸバンドレーダー基地稼動 ・丹後織物工賃引き上げへ	
2015 (平27)	・労働者派遣法強行 ・安全保障関連法案可決（戦争法）	府「老人医療費助成制度改定」1割負担から2割負担に	
2016 (平28)	・参院選で32の1人区で野党統一候補、うち11で勝利し野党共闘が前進 ・米オバマ大統領広島訪問		市長選で中山氏を破り三崎政直当選
2017 (平29)	・総選挙で共闘破壊の逆流のなか立憲野党が前進 ・森友学園への国有地売却問題発覚 ・辺野古で海上での本体工事に着手		
2018 (平30)	政治分野における男女共同参画推進法成立		
2019 (平31)	・参院選で32の1人区で野党統一候補10人当選 ・天皇即位現天皇退位し上皇に ・日本、トルコ原発撤退へ ・消費税10%		
2020 (令2)	新型コロナ感染拡大、全国に緊急事態宣言発令。マスクなど品不足に		市長選で中山泰氏返り咲き
2022 (令4)			宇川小統廃合問題での攻防1年続く

「丹後の新しい未来求めて」編集委員会

東　世津子／岩崎　晃／岡下　宗男／小谷　正一郎／下岡　久美子
平林　善一／藤原　利昭／真下　房枝／増田　光夫／松田　成渓
松村　満行／三浦　郁子／森　勝／山添　哲也

装丁写真／岡崎廣史

P47,48,52「20周年、丹後婦人運動のあゆみ」より抜粋
P54　「新日本婦人の会京都50年のあゆみ」より抜粋
P55　「新婦人京丹後支部ニュース（2012,12,10）」より抜粋
P56　「60周年　丹後婦人運動のあゆみ」より抜粋
P112　参考文献：福井愿則「丹後地方における線下補償運動の20年を振返って」

丹後の年表は「戦後丹後地方の教育運動の歩み」（日下部星男作成「年表」）、「写真が語る明治・大正・昭和の丹後」（奥丹後地方史研究会編集委員会）を参照に作成しています。

丹後に生きる　命、くらし、平和を守る人々の記録

2023年4月15日　初版発行

編　集―「丹後の新しい未来を求めて」編集委員会
発行者―竹村 正治
発行所―株式会社かもがわ出版
〒602-8119　京都市上京区出水通堀川西入亀屋町321
営業　TEL：075-432-2868　FAX：075-432-2869
振替　01010-5-12436
編集　TEL：075-432-2934　FAX：075-417-2114

印刷―シナノ書籍印刷株式会社

ISBN　978-4-7803-1274-4　C0031